14.95

JE DÉVELOPPE MES PHOTOS

- Maquette de la couverture:
JACQUES DES ROSIERS

- Maquette et mise en pages:
LÉO CÔTÉ

- Photo de la couverture:
ANTOINE DESILETS

Toutes les photos sont de l'auteur, à moins d'indications contraires.

DISTRIBUTEURS EXCLUSIFS:

- Pour le Canada:
AGENCE DE DISTRIBUTION POPULAIRE INC.*
955, rue Amherst, Montréal H2L 3K4 (tél.: 514-523-1182)
*Filiale de Sogides Ltée

- Pour la France et l'Afrique:
INTER-FORUM
13, rue de la Glacière, 75013 Paris (tél.: 570-1180)

- Pour la Belgique, la Suisse, le Portugal, les pays de l'Est:
S.A. VANDER
Avenue des Volontaires 321, 1150 Bruxelles (tél.: 02-762-0662)

ANTOINE DESILETS

JE DÉVELOPPE MES PHOTOS

LES ÉDITIONS DE L'HOMME*

CANADA: 955, rue Amherst, Montréal H2L 3K4

*Division de Sogides Ltée

Cet ouvrage a reçu une subvention du Conseil des Arts du Canada.

Sommaire

Remerciements

Je tiens à remercier sincèrement tous ceux qui, de près ou
de loin, m'ont aidé dans la réalisation de cet ouvrage,
particulièrement: M. Roland Weber, mon précieux et fidèle
collaborateur, sans qui ce livre m'aurait semblé incomplet;
M. Jean-Claude Trait, mon réviseur de texte; M. Guy
Spénard, pour ses dessins et illustrations, et, bien sûr, ma
chère épouse Jeanine (ma mémoire photographique)
qui, pendant un an, m'a secondé dans cette entreprise, ne
serait-ce qu'en supportant ces longues heures de silence . . .

Roland Weber.

Introduction

Ce livre est le dernier d'une série de quatre. Il traitera essentiellement des techniques et des problèmes de la chambre noire. On se souviendra que le premier, « APPRENEZ LA PHOTO AVEC ANTOINE DESILETS », s'est voulu une sorte d'exposé sommaire visant principalement les débutants. Le deuxième, « LA TECHNIQUE DE LA PHOTO », était le prolongement logique du premier, mais se révélait beaucoup plus technique. Enfin, le troisième, « JE PRENDS DES PHOTOS », consistait en un examen approfondi de l'aspect pratique de la prise de vue.

« JE PRENDS DES PHOTOS » et celui-ci, « JE DÉVELOPPE MES PHOTOS », en plus d'être différents des deux premiers de par leur présentation (les problèmes photographiques les plus courants font ici l'objet de différentes questions), sont complémentaires: l'un aborde les diverses techniques de prise de vue, l'autre, les techniques de tirage.

C'est par milliers que les nouveaux « photomanes » envahissent, jour après jour, le marché de la photographie. Nombreux aussi sont ceux qui voudraient jouir pleinement, comme tant d'autres, de leur nouvelle passion en mettant eux-mêmes le point final à leurs expériences photographiques, c'est-à-dire en maîtrisant les travaux de la chambre noire.

Combien d'amateurs sérieux de la photo font leur propre tirage? Les plus optimistes vous diront 20%. Une chose, cependant, est certaine: en 1973, on en compte 50% de plus qu'en 1970. A ce rythme-là, on aura la chance d'atteindre les 100% d'ici l'an 2000 . . .

Déjà, des spécialistes du domaine de la construction domiciliaire songent à ériger des maisons où la chambre noire aurait sa place au même titre que la salle de jeux, la buanderie, la chambre à fournaise, etc.

Bien avant l'an 2000, on verra apparaître des techniques tout à fait nouvelles de tirage des épreuves. Je pense plus précisément à cette nouvelle génération d'agrandisseurs automatiques dans la « tête » desquels on incorporera un cerveau électronique au même titre que dans les appareils photo. Ces appareils permettront d'obtenir, dès le premier essai, une exposition juste et précise et, du même coup, ils rendront accessibles à un plus grand nombre d'amateurs les plaisirs de la chambre noire. L'impact et le bouleversement qu'a suscité l'« image instantanée » des appareils Polaroid Land pourraient bien aussi trouver un prolongement, sous une forme ou une autre, au niveau du laboratoire, et ce, aussi bien pour le noir et blanc que pour la couleur. Le développement instantané des photos noir et blanc étant déjà une réalité grâce aux nouveaux appareils de « stabilisation », cette décennie devrait voir apparaître les premiers appareils à développement instantané des films et des épreuves couleur.

Bien qu'on semble d'accord dans plusieurs milieux pour affirmer qu'en photographie, l'action primordiale est et demeurera toujours la prise de vue, permettez-moi de m'inscrire en faux lorsque ces mêmes gens prétendent que l'opération finale, soit LE TIRAGE, peut être faite par une autre personne que celle qui a réalisé la photo. Que penser alors d'un peintre ou d'un sculpteur qui, après avoir fait une esquisse d'une œuvre quelconque, en remettrait la responsabilité de l'exécution finale à une autre personne? La création artistique découle (devrait normalement découler) d'un seul être qui en assume pleinement la responsabilité. Quant à moi, je refuserai toujours d'apposer ma signature sur une œuvre que je n'aurais pas réalisée de A à Z.

Les lecteurs noteront que je me suis longuement attardé à la construction de la chambre noire. C'est voulu. A mon avis, personne n'aime s'enfermer durant des heures dans une salle de bains... Si, la passion aidant, certains amateurs en arrivaient à se cloîtrer volontairement dans cet antre, tel un alchimiste ou un apprenti sorcier, qu'ils le fassent au moins dans des conditions un tant soit peu confortables.

Antoine Desilets

CHAPITRE 1

la chambre noire

1 Pourquoi dites-vous qu'une chambre noire est indispensable à un photographe sérieux?

1) Vous ne le savez peut-être pas, mais il existe un nombre très important de photographes professionnels qui n'oseront jamais « se mouiller les doigts »; je fais ici référence au travail de chambre noire, bien sûr. Pour des raisons qu'ils sont seuls à comprendre, ils préféreront s'en remettre à d'autres pour le tirage de leurs propres photos.

2) Personnellement, je considère que, tout compte fait, il est plus important et plus rapide — sinon plus rentable — de tirer soi-même ses photos car, de toute façon, il faudra perdre du temps pour instruire le technicien éventuel sur « sa » façon de voir les choses. Ce dernier devra s'habituer au style spécial du photographe, apprendre et toujours se souvenir de ses exigences particulières. Je peux difficilement imaginer une équipe (cinéaste, réalisateur et producteur d'un long métrage) qui s'en remettrait à une autre équipe pour le montage de son film! Ce serait invraisemblable et cela ne se fait tout simplement pas. D'ailleurs, le photographe est le seul responsable de la prise de vue, et cette action, en fait, ne représente qu'un premier temps d'un tout qui se termine en chambre noire, souvent après plusieurs modifications de la prise de vue originale (cadrage, contraste, etc.).

3) Faire de la photo sérieusement ou faire des images est un processus qui naît de la pensée pour vivre ensuite grâce à une série d'actions mécaniques (appareil photo et toute la quincaillerie) et grâce à la transposition finale de cette pensée-idée sur une feuille de papier sous l'effet chimique des révélateurs en chambre noire. Je n'hésite pas à dire que 80% du travail photographique est réalisé en chambre noire et qu'il devrait être plutôt gênant pour un photographe de « signer » sa photo s'il ne « fait » pas de chambre noire.

4) Il est bien évident que, si vous vous confinez seulement à la diapositive couleur, vous n'avez pas besoin de chambre noire. Les grands laboratoires se chargeront de développer vos films. Ce procédé étant mécanique, il ne nécessite donc aucun travail de création.

5) Le désir d'avoir sa chambre noire est avant tout un désir de mieux faire que les finisseurs « sur commande »: c'est une expérience sans prix.

6) Si vous travaillez toujours le soir, vous n'avez pas besoin de chambre noire élaborée. Si vous ne développez que vos films en noir et blanc, n'importe quelle pièce de la maison peut convenir. L'important est de s'organiser pour éviter de nuire au traintrain habituel de la maison. Votre installation de fortune vous suffira pour un temps, mais je sais que, tôt ou tard, vous voudrez pousser plus loin l'expérience; là, l'élaboration d'un laboratoire sérieux primera.

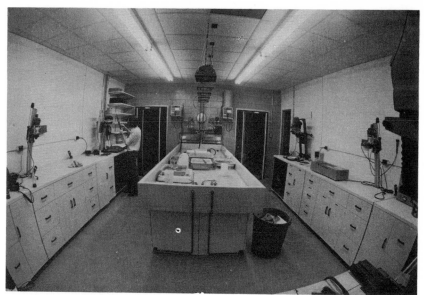

Vue d'ensemble de la nouvelle chambre noire commune de La Presse pouvant accueillir six photographes.

Un technicien développant des feuilles d'épreuves.

2

Dois-je disposer d'un espace minimum dans mon sous-sol pour y construire un laboratoire photo (chambre noire)? Comment devrais-je procéder pour la mise sur pied d'une telle installation?

1) Pour construire une chambre noire confortable — en supposant que vous disposez de l'espace nécessaire —, vous devrez prendre en considération plusieurs facteurs, dont voici les principaux:

a) Assurez-vous que les facilités de plomberie sont à proximité.

b) Prévoyez l'approvisionnement en eau chaude pour le tirage de photos couleur (plus tard).

c) Les circuits électriques devront être conformes à la loi et posés par un électricien compétent (voir question no 4).

d) Afin de réduire au minimum le coût de construction, optez pour un coin de votre sous-sol, pour n'avoir à ajouter que deux murs.

e) Rappelez-vous que, pour rendre votre labo fonctionnel, il devra être construit en deux sections: un côté « humide » et un côté « sec » (voir diagramme).

f) Les dimensions minimums pour une chambre confortable sont de (facultatif) 8 pieds sur 8 pieds [2,44 m sur 2,44 m].

g) Vous aurez donc besoin de quatre feuilles de contre-plaqué de ¼ de pouce [0,6 cm] d'épaisseur, mesurant 4 pieds sur 8 pieds [1,22 m sur 2,44 m] (pressed-wood, gyproc et masonite sont également employés).

h) Une porte (6 à 8 pieds sur 20 pouces: 1,83 m à 2,44 m sur 51 cm) ainsi qu'autant d'éléments (2 x 3 pouces sur 8 pieds: 5 cm x 7,5 cm sur 2,44 m) nécessaires à l'érection de la structure; ceux-ci seront placés tous les 16 pouces [41 cm].

i) Cette structure reposera sur une glissière en bois mesurant 2 x 3 pouces [5 cm x 7,5 cm] sur le plancher, ainsi qu'une au plafond. La porte sera au centre et s'ouvrira vers l'extérieur.

j) Une « boîte à porte » (encadrement complet) ainsi que les taquets servant à arrêter la porte, une poignée, deux charnières et quelques livres de clous de 2 pouces [5 cm]) suffiront.

2) Tout ce qui précède devrait suffire pour construire les deux murs de la chambre noire. Coût approximatif: $100. A ce stade-ci, il est important de vérifier l'étanchéité à la lumière; plus tard, quand le bac et la table de travail seront en place, ce test sera plus difficile à réaliser. On aura noté que l'achat de feuilles de 4 x 8 [1,22 m x 2,44 m] réduit au minimum les coupes et, parfaitement d'équerre, la charpente ne risquera pas de ressembler à la Tour de Pise.

3) Quoique nullement nécessaire, si votre budget le permet, vous pouvez finir l'intérieur de ces deux murs avec du contre-plaqué, du gyproc, du masonite ou tout autre matériau. Personnellement, je préfère utiliser ces matériaux pour finir la partie fonctionnelle, c'est-à-dire la table de travail, le puits à projection et le bac. Je ne trouve pas du tout désagréable la vue des éléments 2 x 3 [5 cm x 7,5 cm] verticaux ni celle des éléments horizontaux; au contraire, une fois peint, l'ensemble est très propre et, en plus, il offre un support ou ancrage très solide pour recevoir des étagères et le reste. Quant au sol, il faut généralement ajouter un plancher en bois uni par-dessus le ciment; il est rare que ce dernier soit de niveau dans un sous-sol. Il faut donc procéder au nivelage avec une structure en contre-plaqué de ¾ de pouce [1,8 cm] d'épaisseur. Plusieurs s'accommodent d'un sol en ciment, même en pente, et y ajoutent de la tuile d'asphalte qui résiste à l'eau.

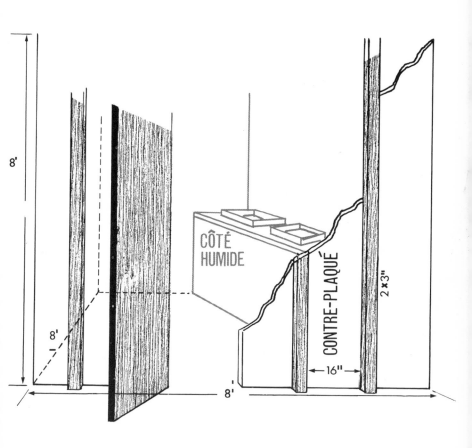

3 Comment aménager de la façon la plus fonctionnelle l'intérieur d'une chambre noire de dimensions moyennes?

1) Pour aller au plus court, disons qu'à l'intérieur des dimensions 8 pieds x 8 pieds [2,44 m x 2,44 m] (voir question no 2), il est fortement suggéré de diviser cet espace en trois tiers à peu près égaux — soit 30 pouces [76 cm] pour le bac (partie humide), 30 pouces pour le passage et 30 pouces pour la table de travail (partie sèche); les 6 pouces restants [15 cm] allant pour les montants 2 x 3 [5 cm x 7,5 cm] de la charpente.

2) La hauteur recommandée pour la table de travail, ainsi que celle du bac (lavabo) est de 36 pouces [91,5 cm] pour une personne mesurant de 5 pieds 6 pouces à 6 pieds [1,65 m à 1,83 m]. Une hauteur moindre finirait par vous donner des maux de dos.

3) A moins d'être gauchers, tous les professionnels travaillent — en chambre noire — de gauche à droite. C'est dire que, si l'on fait face à la table de travail, on doit d'abord y voir le puits de projection surmonté de l'agrandisseur, un espace libre pour le papier non exposé, le tranchoir suivi de la visionneuse et un autre espace libre.

4) L'espace au-dessous de cette table peut recevoir à loisir de larges étagères ou des tiroirs, de même que l'espace au-dessus pourra servir à ranger les boîtes de papier photo et les produits chimiques. Ces étagères seront de toute évidence plus étroites (environ 10 pouces: 25 cm) pour ne pas gêner le photographe.

5) Nous faisons une volte-face et nous nous trouvons devant le lavabo. Celui-ci mesure environ 30 pouces par 8 pieds [76 cm x 2,44 m]. Cette dimension nous permet d'effectuer des tirages allant facilement jusqu'à 16 x 20 pouces [40,5 cm x 51 cm]. Il peut donc contenir trois plats de 18 x 22 pouces [46 cm x 56 cm] chacun, espacés de 2 à 3 pouces [5 cm à 7,5 cm], ce qui nous donne 3-18-3-18-3-18-3 [7,5-46-7,5-46-7,5-46-7,5]: 63 pouces [157 cm] sur les 90 pouces [225 cm] de la longueur totale, ceci permettant d'y ajouter un autre plat pour le lavage à siphon ou une laveuse rotative.

6) Ce bac peut facilement être construit en contre-plaqué de ¼ de pouce [0,6 cm] d'épaisseur sur une structure de 2 x 3 pouces [5 cm x 7,5 cm], ayant une profondeur de 6 à 8 pouces [15 cm à 20,5 cm]. L'idéal est de le recouvrir de fibre de verre qui, à mon avis, est de beaucoup supérieur à l'acier inoxydable (qui finit toujours par rouiller après deux ou trois ans) et ... inférieur quant au prix! Tout bon bricoleur peut le faire lui-même. Le fond du bac devra être incliné (2 pouces: 5 cm) pour un meilleur écoulement vers le renvoi d'eau.

7) Le dessous du bac servira surtout au rangement des bouteilles de produits chimiques de toutes sortes; prévoir un espace pour le rangement vertical des plats pour qu'ils s'égouttent mieux.

8) L'ensemble devrait être peint en gris *mat* pour éviter toute réflexion parasite. L'éclairage général y gagnerait beaucoup si, par contre, le plafond était peint en blanc *mat* et que les lampes actiniques (lampes jaunes de sûreté) étaient inversées, diffusant ainsi une lumière indirecte.

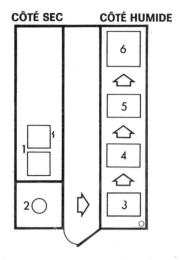

Suivant que vous êtes gaucher ou droitier, voici l'ordre dans laquelle les cuves devraient être placées: 1) Table lumineuse. 2) Agrandisseur. 3) Révélateur. 4) Bain d'arrêt. 5) Fixateur. 6) Lavage.

Vue de la chambre noire de l'auteur, montrant le côté sec et le côté humide.

4 Quelles précautions doit-on prendre quant aux installations électriques d'une chambre noire?

1) Pour une chambre noire élaborée, les circuits électriques sont de toute première importance. Encore plus importante est la *régularité du débit électrique* si l'usager envisage un jour de finir ses propres photos couleur.

2) Pour ce type d'installation, il n'est pas exagéré de suggérer la mise en place de voltmètre AC à l'endroit primordial, soit près de l'agrandisseur, afin de pouvoir s'y référer visuellement au besoin.

3) Un photographe étant rarement un électricien, il aura tout à gagner à s'assurer les services d'un homme de métier qui verra à alimenter la chambre noire avec un (peut-être deux) circuit indépendant venant directement du panneau à fusibles.

4) Afin d'éviter tout accident (parfois fatal), compte tenu de la proximité du bac et des liquides qu'on retrouve toujours dans une chambre noire, en plus de toute une série de déboires dus à une éventuelle chute de courant (qui se traduit par des couleurs faussées lors du tirage et dont on ne connaît jamais la cause), je vous déconseille fortement de faire vous-même cette installation si votre chambre noire doit être permanente.

5) Pour une chambre noire sans prétention, où le maximum de consommation électrique ne dépassera pas 700 watts (250 pour l'agrandisseur, 50 pour la visionneuse, 150 pour l'éclairage général de la pièce et environ 75 pour les lampes de sûreté), le photographe pourra s'alimenter à une prise électrique d'une chambre voisine (jamais de la cuisine, où les prises sont trop souvent surchargées).

6) Il est primordial que les trois ou quatre prises de courant soient installées sur le côté « sec » de la chambre noire, c'est-à-dire le plus loin possible du côté « humide ». On connaît la rigidité de la loi en ce qui concerne l'électricité dans une salle de bains! Souvenez-vous qu'une chambre noire peut engendrer autant de risques.

7) La chambre noire devant servir à développer les films et à agrandir les photos, d'où la nécessité de la noirceur, je suggère donc que la sécheuse et la «monteuse» en soient exclues. Elles nécessiteraient de toute façon trop de courant et d'espace.

8) Pour la chambre noire sophistiquée, on suggère généralement l'usage de deux circuits séparés, dont l'un alimenterait l'agrandisseur, la minuterie, le posemètre, le sensitomètre, etc. (tout ce qui demande un courant stable), et dont l'autre irait pour le séchoir à films, le séchoir à photos et la lumière en général (visionneuse ou autre), ces dernières installations pouvant subir, sans dommage pour leurs opérations, des baisses de courant.

9) Inutile d'insister sur la nécessité d'une prise de terre pour tout le

système électrique d'un laboratoire. Toutes les prises de courant doivent avoir trois fiches. Généralement, deux lampes inactiniques jaunes au-dessus du grand lavabo suffisent, et une seule au-dessus de la table de travail, le plus loin possible de l'agrandisseur.

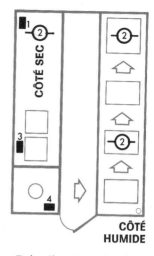

CÔTÉ
HUMIDE

1 — Fiche électrique. 2 — Lampe de sûreté. 3 — Fiche électrique trancheuse. 4 — Interrupteur.

Ne jamais surcharger une prise d'électricité.
Les prises de courant doivent comporter trois fiches.

5 Une chambre noire sans eau courante ne serait-elle pas préférable pour un débutant, compte tenu du coût d'installation? Que suggérez-vous comme installation rudimentaire?

1) Celui qui n'envisage pas autre chose que de développer ses films et pour qui le tirage des photos semble être trop compliqué, trop laborieux, non seulement n'a pas besoin d'eau courante, mais il n'a même pas besoin de chambre noire! (voir question no .47). Il peut, en toute sécurité, utiliser une garderobe ou une petite pièce, à condition de n'y travailler que le soir après s'être assuré que la porte et les fenêtres ne laissent pas filtrer de lumière.

2) Le besoin d'eau est proportionnel à la production et, si cette dernière est très restreinte, il vaut mieux transporter les films pour le lavage dans le lavabo de la cuisine. En fait, nombreux sont ceux qui agissent ainsi, même après avoir tiré leurs photos. Toutefois, ce manège risque à la fin d'irriter la maîtresse de maison ... qui vous convaincra vite de trouver une meilleure solution.

3) Ne vous avisez pas d'entreprendre des travaux de plomberie à la légère! Après s'être donné beaucoup de mal pour construire une chambre noire dans le sous-sol, par exemple, il serait illusoire de ne pas procéder à un bon raccordement du lavabo (bac); de préférence, le faire effectuer par un plombier qualifié.

4) L'évacuation du bac doit se faire à l'aide d'une trappe-siphon en forme de S couché, afin d'éviter les odeurs en provenance des égouts. Etant donné que les produits chimiques utilisés en chambre noire sont corrosifs, la tuyauterie sera en cuivre ou en plastique noir spécial anticorrosif, et les eaux usées se déverseront non dans un puisard à ciel ouvert, mais dans la tuyauterie de renvoi, vers les égouts.

5) L'importance de votre laboratoire et l'intérêt que vous attachez à la qualité de votre travail demandent une installation sérieuse de l'eau courante. Je propose la façon suivante: **a)** deux robinets (l'un à eau chaude, l'autre à eau froide) avec la possibilité d'y fixer un mélangeur d'eau, indispensable pour l'eau de lavage et requis pour les besoins d'eau à température contrôlée; **b)** installation d'un filtre à eau (quoique facultatif) selon la qualité de l'eau d'aqueduc de votre municipalité; ces filtres sont disponibles chez le quincaillier; **c)** même s'il est rare qu'il n'y ait pas de réservoir d'eau chaude dans une maison, on peut toujours prévoir un dispensateur d'eau chaude instantanée de marque FLO-HOT ou autre; **d)** l'utilisation d'un appareil compliqué avec cadran indiquant le degré de l'eau se révélera très utile pour celui qui envisage le tirage de photos couleur, mais je prétends que, pour le laboratoire moyen, ceci est un luxe; **e)** il serait bon que le tuyau qui amène l'eau froide

soit recouvert d'un isolant de 1 ou 2 pouces [2,5 ou 5 cm] (disponible chez le quincaillier), car la froideur de l'eau le fera suinter abondamment; une telle précaution est inutile pour le tuyau d'arrivée de l'eau chaude.

b)

a)

a) Une trappe en "S" se révèle indispensable pour arrêter les odeurs dues aux produits chimiques.
b) Pour un laboratoire plus élaboré, ce type de mélangeur d'eau avec contrôle de température est tout indiqué, surtout pour le travail en couleur.
c) Un simple mélangeur d'eau répond à tous les besoins d'un laboratoire ordinaire.

c)

6 Dois-je prévoir immédiatement l'installation d'un PUITS de projection et, si oui, quelles sont vos recommandations pour ce genre de construction?

1) On ne doit pas perdre de vue que l'agrandisseur (donc son installation) constitue le COEUR de la chambre noire. C'est le moteur qui fait tout tourner dans le laboratoire. Si, au cours de vos opérations, il vous arrive d'avoir des pépins divers, l'agrandisseur (ou sa mauvaise installation) peut en être la cause.

2) Le parallélisme des agrandisseurs est généralement excellent jusqu'au moment où l'on sépare celui-ci de sa table de projection (baseboard) pour l'installer soit au mur, soit sur le rebord (arrière) de sa table de travail.

3) Ici encore, il s'agit de construction et, si vous êtes bricoleur un tant soit peu, vous aurez pris soin de faire ce puits au moment de la construction de la table de travail. Sinon, il vous faudra pratiquer avec beaucoup de précaution une tranche de 30 pouces [76 cm] de large dans votre table de travail. (Sortez tous vos films de la chambre noire, car la poussière . . .)

4) En vous référant à l'illustration ci-contre, vous comprendrez mieux. Il faut retenir qu'il est important d'installer la « planche de projection amovible » *parfaitement de niveau,* de sorte que ce niveau corresponde à celui du porte-film de l'agrandisseur. L'amovibilité de cette planche vous permettra des grossissements dépassant largement le format 16 x 20 [40,5 x 51 cm], ce qui est impossible sans ce puits.

5) Cette méthode de puits d'agrandissement remplace avantageusement l'autre méthode de projection à l'horizontale, qui requiert plus d'espace et introduit des problèmes de vibration au niveau de l'agrandisseur, en plus du fait que la plupart des agrandisseurs ne sont pas conçus pour la projection au mur.

6) On aura noté que l'agrandisseur, à sa position la plus élevée — dans des conditions ordinaires, c'est-à-dire *sans* puits de projection —, atteint souvent le plafond de la chambre noire et ne grossit guère plus que 15 x 18 [39 x 46 cm] (d'un format 35 mm), limitant ainsi les possibilités du photographe. Il est donc impensable d'espérer obtenir un grossissement au format 11 x 14 [28 x 35,5 cm] d'une partie du négatif. C'est ainsi qu'on apprécie la commodité de pouvoir descendre, au besoin, la table amovible jusqu'au plancher.

7) Comme tout poids est automatiquement attiré vers la terre, il serait bon de vérifier occasionnellement le parallélisme de la table par rapport au support du négatif, à l'aide d'un bon niveau de charpentier. Pour faciliter ce travail d'ajustement, on aura pris soin de visser les rainures de bois (½ pouce carré: 3,22 cm²) qui supportent la table, à l'intérieur d'une coulisse ajustable (trou allongé).

8) Est-il besoin de préciser qu'un système de puits à projection mal ajusté ressemble en tous points à un appareil photo 4 x 5 [10 x 12,5 cm] dont le mécanisme de bascule ne serait pas à son point zéro? L'utilisation d'un appareil à mise au point (voir question no 21) sur le grain révèle toujours qu'un des coins de l'image est hors foyer.

9) Tout l'intérieur de ce puits à projection devra être peint en noir mat, ainsi que la table de projection amovible, de sorte qu'aucune réflexion parasite ne gêne la bonne marche de la projection sur papier sensible.

10) Chaque coulisse devrait être espacée d'environ 6 à 8 pouces [15 à 20,5 cm], mais cela ne constitue pas une règle immuable.

L'intérieur du puits à projection est peint en noir (avec rainures de bois invisibles puisque très noires); ces rainures sont espacées d'environ 8 pouces [19 cm].

Parfois, on peut utiliser deux rainures de niveau différent pour effectuer un certain redressement des lignes fuyantes.

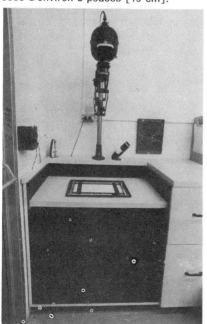

7   Qu'entend-on par une chambre noire « sûre et confortable » ?

1) Lorsqu'on parle de chambre noire en général, on fait référence d'une part à l'aspect sécuritaire qui découle directement de sa construction (son opacité, par exemple), et, d'autre part, à l'aspect fonctionnel (l'assurance que le photographe pourra y travailler durant de longues heures dans un confort relatif).

2) Au chapitre de la sécurité, on ne peut passer sous silence le facteur « électricité » qui, si elle est installée de façon empirique, peut vous jouer de vilains tours à tout moment (voir question no 4 électricité).

3) N'oublions pas non plus le système de plomberie qui pourra transformer rapidement votre laboratoire en une piscine, si le bac de développement n'est pas construit selon les normes adéquates.

4) Vous connaissant comme je vous connais, vous n'hésiterez pas à passer des heures interminables dans cet antre et vous constaterez très vite que les périodes d'attente sont nombreuses: attente durant l'exposition, attente durant le développement, attente durant le fixage et le lavage; de telle sorte que, pour agrémenter votre confort, vous déciderez vite d'y installer un radio FM, créant ainsi une atmosphère de détente.

5) Et pourquoi travailler debout? Vous vous équipez donc d'un siège roulant et pivotant, placé de telle façon qu'il vous sera possible de travailler assis désormais; d'une simple volte-face rotative, vous avez à votre portée l'agrandisseur, le révélateur et le fixateur, sans avoir à vous lever.

6) Vous augmenterez aussi votre confort en supprimant le traditionnel balai pour le nettoyage (il soulève la poussière qui retombe toujours sur vos films): utilisez un aspirateur électrique.

7) Vous épargnerez beaucoup de votre temps, en plus de standardiser votre méthode de travail, si vous maintenez toujours la température de la pièce aux environs de 68 à 72 degrés F [20 °C à 22,2 °C]. Cette température sera toujours celle à laquelle vous développerez. Est-il besoin d'insister ici sur la nécessité de maintenir cette chambre noire aussi propre qu'un sou neuf. Cela fait aussi partie du confort et de la sûreté.

8) Si vous devez fumer, ayez toujours un cendrier à portée de la main et ne vous avisez surtout pas de griller une cigarette en manipulant un film *vierge*.

9) Si vous étalez vos films sur la table de travail, assurez-vous de ne *jamais* déposer tout près d'eux une tasse de café ou une bouteille de bière, car, croyez-moi, le jour n'est pas loin où, l'obscurité aidant, vous renverserez la tasse ou la bouteille et serez aux prises avec des dégâts irréparables...

10) Prenez l'habitude de ne jamais laisser traîner une photo ratée dans le bac; celle-ci ira fatalement bloquer le trou du renvoi d'eau et vous en serez quitte pour une bonne petite inondation maison.

Seuls les yeux ont été exposés au tirage, à l'aide d'une cache perforée (ces yeux sont ceux du photographe Alexandre Zelkine).

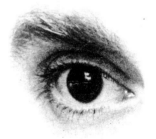 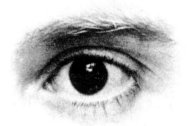

8 Quelle importance accordez-vous à la ventilation et au chauffage de la chambre noire?

1) La chambre noire étant généralement de dimensions réduites, il ne faudrait pas — par souci de trop bien faire — exagérer l'importance de l'opacité au point d'empêcher l'air d'y pénétrer, et en arriver à ce que le photographe, après quelques heures de travail, soit contraint d'en sortir sporadiquement pour prendre quelques bouffées d'air frais . . .

2) On aura donc prévu, lors de l'érection de la structure, la mise en place d'au moins deux bouches d'aération — une entrée et une sortie —, ce qui aura pour effet d'assurer la libre circulation de l'air. Ces ouvertures mesureront 4 pouces [10 cm] sur 12 [30,5 cm] et seront munies de chicanes à l'intérieur et à l'extérieur, peintes en noir mat; elles ne laisseront passer que l'air, notamment si on les a installées sous les étagères de la table de travail.

3) Les émanations provenant des produits chimiques, tels le fixateur et le bain d'arrêt (acide acétique), et les autres non moins désagréables (fumée de cigarette par exemple) vous feront vite prendre conscience de l'importance de l'aération.

4) La mise en place d'un système d'air conditionné de format réduit « pourrait » être la solution, s'il était possible de l'installer suffisamment loin de l'agrandisseur, de sorte qu'il ne produise aucune vibration. Si tel était le cas, on devrait choisir le côté « humide » de la chambre noire, justement au-dessus du lavabo.

5) Le climatiseur (ou encore un simple ventilateur) ferait d'une pierre trois coups: climatisation, lors des journées estivales; ventilation proprement dite; élimination de l'humidité toujours en excès dans une chambre noire où l'eau est utilisée en abondance, ainsi que des odeurs désagréables.

6) Quant au chauffage, il devra être prévu de manière à maintenir une température constante dans la pièce. Le système de chauffage à air chaud central ou à chaleur radiante est idéal. Cependant, pour ma chambre noire située dans le sous-sol, j'ai dû obstruer 50% de l'ouverture de la bouche d'air chaud afin de parvenir à assurer une température de 70 degrés F [21,1 °C]. Je n'ai donc, pour ainsi dire, jamais à vérifier la température des produits chimiques, ceux-ci étant toujours à la température ambiante.

7) Il serait souhaitable d'actionner le climatiseur sporadiquement et d'éviter autant que possible de le faire pendant la séance d'agrandissement, pour empêcher tout déplacement d'air qui entraîne toujours de la poussière dans son sillage. Cette poussière, comme par un fait exprès, s'arrête toujours et uniquement sur les pellicules!

L'exiguïté d'un laboratoire exige
la mise en place d'un ventilateur
étanche à la lumière.

Un autre ventilateur, placé sous
une étagère, facilite une bonne
circulation de l'air.

9 Une visionneuse ou table lumineuse est-elle vraiment nécessaire et, si oui, quel serait l'endroit adéquat pour l'installer?

1) A mon avis, aucune chambre noire un tant soit peu moderne ne peut se passer d'une visionneuse. Par visionneuse, j'entends une visionneusce installée en permanence. Voici donc une pièce d'équipement indispensable.

2) Il conviendrait de la construire à même la table de travail, de manière à ce qu'elle ne nuise en rien au travail en surface. Comme on peut le constater sur l'illustration ci-contre, il s'agit de percer un trou d'environ 14 pouces sur 16 [35,5 sur 40,5 cm] et d'installer une boîte sous la table, laquelle est suspendue à la table de façon permanente. La profondeur de cette boîte sera de 6 à 8 pouces [15 à 20,5 cm].

3) Si vous ne pouvez vous procurer des tubes au néon de 14 pouces [35,5 cm] de long — comme c'est le cas pour mon installation —, procurez-vous le modèle plus grand et vous construirez la boîte en conséquence, réservant un pouce [2,5 cm] de jeu à chaque bout des tubes au néon. Trois tubes au néon répartis également sur la largeur de la boîte de 14 pouces [35,5 cm] sont suffisants, le tout étant actionné par un petit interrupteur, de préférence sous la table, à un endroit non visible, mais que vous connaissez bien, afin d'éviter qu'un enfant ne l'actionne au moment inopportun.

4) Au fait, tous les interrupteurs d'une chambre noire devraient être inaccessibles aux enfants, donc installés assez haut.

5) Vient ensuite l'installation de la vitre de niveau avec la surface de la table. En fait, il s'agit de deux vitres. La première est la vitre OPAL « frosted » (verre dépoli à surface granuleuse), d'une épaisseur simple ou double; elle reposera sur le rebord de la boîte à lumière à ¼ de pouce [0,6 cm] PLUS BAS que la surface de la table. Cet espace de ¼ de pouce [0,6 cm] est réservé à la vitre de surface (épaisseur de 32 onces: 928 g — comme disent les vitriers), qui doit être plus robuste, résister aux coups et capable de supporter le poids du photographe lorsqu'il s'appuie dessus.

6) Si la vitre à surface dépolie était de niveau avec la surface de la table, il serait très désagréable d'inspecter les films à la loupe, car le grain de la vitre se confondrait avec celui du film; sise ¼ de pouce [0,6 cm] plus bas, sa surface rugueuse disparaît dans un flou diffus. L'intérieur de la boîte sera peint en blanc mat pour amplifier au maximum la brillance des tubes au néon.

7) La qualité de la lumière étant toujours définie par la température de couleur, il vaudrait mieux, dès maintenant, installer des tubes au néon de type DAYLIGHT qui sont,

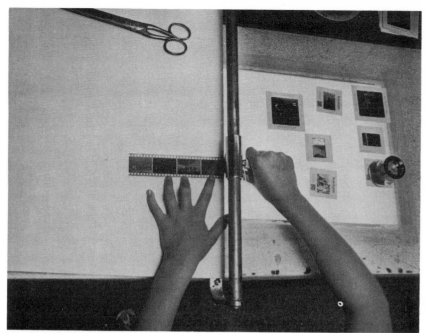

L'endroit idéal pour une visionneuse est aux côtés de la trancheuse, puisque l'inspection et le
coupage des films se font simul-
tanément.

La dimension raisonnable pour une
visionneuse est d'environ 11 x 14
pouces [26 x 33 cm]; elle permet, d'un seul coup, le visionnement d'un rouleau de 36 pouces
[86 cm].

je pense, un heureux compromis entre les lampes au tungstène ordinaire — émettant une température couleur d'environ 2,900 à 3,200 degrés Kelvin — et la lumière du jour (6,000 degrés K) qui serait la seule apte à nous restituer les couleurs dans leur version originale.

8) Ignorez la qualité de la lumière si vous ne désirez examiner que des pellicules en noir et blanc.

9) Si vous utilisez le tranchoir pour couper vos films en différentes longueurs, je vous recommande fortement de placer la visionneuse immédiatement à droite de celui-ci.

Une lampe de sûreté Kodak Utility Safelight Model C munie d'un verre dépoli d'environ 9 x 12 pouces [22 x 28 cm] peut très bien remplacer une visionneuse permanente.

La lumière étant allumée, vous pouvez « voir » et compter vos bandes de films avec une grande facilité. La visionneuse se révèle indispensable pour examiner et monter vos diapositives, sans parler de son utilisation pour photographier de petits objets, lorsqu'il est alors nécessaire d'éliminer toute ombre.

Hors-texte.→

10 Quelle différence établissez-vous entre une chambre noire conçue pour le noir et blanc et une chambre noire conçue pour la couleur?

1) On ne peut affirmer qu'un photographe se consacrera un jour à la couleur, mais j'ai de bonnes raisons de croire qu'il y viendra tôt ou tard, ne serait-ce que pour satisfaire sa curiosité bien légitime. Vous ne pouvez subir sans cesse les assauts de plus en plus croissants de la publicité, sans y succomber un beau jour.

2) Vous aurez l'agréable surprise de constater que, si votre chambre noire répond A PEU PRES aux exigences minimums suggérées dans les pages précédentes — quant à la dimension et quant aux sections bien distinctes (bac et table de travail) —, vous pourrez, à votre aise, procéder au tirage des photos couleur sans vraiment ajouter quoi que ce soit.

3) Vous savez, par exemple, que pour procéder au développement des films couleur, vous aurez besoin de cuves supplémentaires; il vous faudra également être capable de contrôler la température des produits chimiques. C'est vraiment tout (voir question no 141).

4) Pour ce qui est du tirage des négatifs couleur, il faudra vous assurer que votre agrandisseur permet l'utilisation de filtres couleur nécessaires à l'impression des photos couleur. Quant au développement de celles-ci, selon le système utilisé (Uni-Color, Pavelle ou autre), vous pourriez fort bien vous accommoder des trois plats servant présentement au développement des photos en noir et blanc. L'acquisition d'un appareil rotatif, du type Kodak model D-11 apporterait une amélioration intéressante . . . mais le portefeuille en maigrira !

5) Le nouveau papier photographique comportant un fini plastique est maintenant disponible et accessible à l'amateur moyen; vous pouvez donc vous passer de la sécheuse Pako (ou autre marque), littéralement inabordable par son prix.

6) Si l'on parle de chambre noire, cela suppose toujours la possibilité de faire du travail et en noir et blanc et en couleur. Employer l'expression « transformer » ne rime à rien dans ce cas-là. Seul l'agrandisseur peut être transformé pour la couleur, et dans quelques cas seulement. Un agrandisseur est conçu soit uniquement pour le noir et blanc, soit pour le noir et blanc et la couleur. Je n'en connais pas un qui soit conçu uniquement pour la couleur. Si vous en connaissez, faites-le-moi savoir . . .

7) Donc, si ceci peut paraître un peu simpliste, il ne faudrait pas vous vanter de posséder une chambre noire pour la couleur: cela risquerait d'en faire sourire quelques-uns. Dites plutôt que votre labo vous permet de tirer des photos couleur tout au plus.

Vue d'une "cellule-labo" servant uniquement au développement des films.

Le même petit laboratoire (4 x 6 pieds [1,2 x 1,8 m]) peut être rapidement transformé en un laboratoire couleur en y ajoutant ces six cuves à développement.

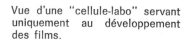

Un agrandisseur avec "tête" pour tirage en couleur sert tout aussi bien pour le tirage en noir et blanc.

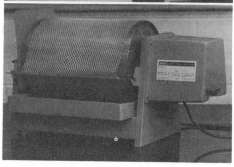

Cette pièce complète l'équipement nécessaire pour le développement de la couleur (Kodak Rapid Color Processor).

Un garçon... une fille... un garçon...

CHAPITRE 2

équipement général

11 Quels conseils pouvez-vous me donner concernant mon agrandisseur?

1) On peut difficilement parler d'un agrandisseur sans établir un rapport entre celui-ci et l'appareil photographique. On dit de l'appareil photographique qu'il a pour fonction de capter l'image négative et que l'agrandisseur restitue l'image positive. Autrement dit, l'agrandisseur est un appareil photographique à l'envers ... qui prend de grandes photos d'une toute petite scène, alors que l'appareil photographique prend de toutes petites photos d'une grande scène.

2) Si vous envisagez de faire de la photo sérieusement, je vous suggère, dès le départ, l'achat d'un excellent agrandisseur. C'est le point central de la chambre noire autour duquel gravitent toutes vos activités. Complément de votre appareil photographique, il devra donc être de tout aussi bonne qualité.

3) De construction un peu plus simple que votre appareil photographique, il est en général d'un prix inférieur. En outre, il n'a pas à subir les divers aléas que subit votre appareil photographique, ce qui lui concède une durée de vie plus longue ... à condition, évidemment, d'être manipulé avec soin.

4) Je vous *déconseille* l'achat d'un agrandisseur AUTOFOCUS, car, selon moi, ce genre d'agrandisseur est plutôt destiné aux grands laboratoires commerciaux. Le mécanisme automatique finit toujours par se dérégler de toute façon. Et même si ce n'était pas le cas, un puriste — comme vous le deviendrez tôt ou tard, j'en suis sûr — ne peut résister à la tentation de faire lui-même cette dernière mise au point.

5) Vous êtes probablement un adepte du 35 mm; malgré cela, je vous suggère de vous procurer un modèle 2¼ x 2¼ [6 x 6 cm]. Ceci permet l'usage des deux formats les plus courants, soit le 2¼ x 2¼ et le 35 mm. Il vous suffira de vous procurer un objectif supplémentaire pouvant « couvrir » votre format 35 mm.

6) Pour ceux qui l'ignoreraient, un agrandisseur est composé d'une boîte à lumière au sommet, au-dessous de laquelle se trouvent deux condensateurs suivis d'un tiroir pour le porte-film; viennent ensuite un mécanisme (soufflet ou autre) servant à la mise au point et, finalement, un objectif. Toute cette « tête » coulisse sur une colonne, verticalement ou de biais, pour modifier au besoin les rapports de grossissement. Cette colonne étant solidement ancrée sur une base en bois rigide, elle peut, dans bien des cas, pivoter et permettre une projection sur le plancher. D'autres modèles basculent, permettant les projections au mur.

7) Le négatif à agrandir est ainsi projeté sur un porte-papier (margeur) par transparence; la source lumineuse peut être de deux ordres: en lumière dirigée (avec condensateur) ou en lumière diffuse (voir question no 12). Quelques rares modèles sont munis des deux systèmes, ce qui permet au photographe d'adopter à son gré l'un ou l'autre, selon l'effet désiré.

8) On aura tout intérêt à se procurer un agrandisseur dont la colonne de grossissement sera la plus élevée possible. Sinon, on devra opter pour la construction d'un puits d'agrandissement.

Bientôt la variété d'agrandisseurs disponibles ne connaîtra plus de limite; il y en a pour tous les goûts et tous les budgets (entre $50 et $2,000).

Un agrandisseur très populaire (le Simmon Omega B-22) se vend environ $125.

Le Beseler professionnel avec "tête" couleur répond à tous les formats de 35mm à 4 x 5 [9 x 12]; il coûte $500 environ.

12 En quoi un agrandisseur à condensateur est-il supérieur à un autre dit à diffusion?

1) Nous parlons ici uniquement de deux types différents d'éclairage. Il serait malhabile de ma part de vous inciter à acheter un modèle de préférence à un autre, puisque l'un et l'autre comportent des avantages propres que je vais tenter de décrire.

2) L'agrandisseur à condensateur semble avoir gagné la faveur du public en général, principalement pour les adeptes du 35 mm. L'éclairage en lumière dirigée (à lampe du type « ponctuel ») présente une brillance plus lumineuse, beaucoup plus pénétrante qu'en lumière diffuse. Le faisceau nous apparaît, sur le margeur, plus clair et plus concentré; il produira donc des photos plus nettes et plus précises. Elles révéleront — à ne pas en douter — tous les défauts superficiels du négatif en plus d'accentuer au maximum l'apparence du grain.

3) Rien d'étonnant à ce que l'opérateur fasse appel à un diffuseur manuel (voir question no 69), à l'occasion, pour atténuer cette précision « criarde », voire cruelle pour certaines photos du genre portrait de jeune fille. Par contre, s'il veut mettre de l'emphase sur un visage moins jeune, marqué par le temps, l'opérateur sera alors . . . aux petits oiseaux.

4) On notera que certains agrandisseurs sont équipés de deux condensateurs, comme deux lentilles convexes dont les deux surfaces bombées se font face. Pour d'autres avec ampoule à verre opaque, on n'utilisera qu'un condensateur sous lequel on aura ajouté un verre dépoli rendant sa lumière un peu moins précise.

5) L'avantage principal de l'agrandisseur à condensateur est qu'il peut facilement être converti en agrandisseur à diffusion, en insérant simplement un verre dépoli entre la lumière et les condensateurs. L'inverse n'est pas possible pour l'agrandisseur à diffusion.

6) Les images obtenues par agrandissement en éclairage diffus sont toujours très douces; c'est pourquoi on recherchera ce type d'éclairage pour atténuer au maximum les imperfections de la peau vue en gros plan. De même, un négatif 35 mm ne pouvant être retouché aisément à cause de sa petitesse, il aura tout intérêt à être agrandi au moyen de ce type de lumière. Précisons aussi que plusieurs professionnels de la photo couleur préféreront un tirage à partir de lumière diffuse, les photos ainsi obtenues étant beaucoup plus douces.

7) L'écart de contraste entre ces deux types d'éclairage peut être démontré par l'exemple suivant: un film très contrasté ne pouvant être imprimé avec satisfaction (en lumière dirigée) sur un grade de papier #0, il donnera cependant une image très acceptable s'il est imprimé sur ce même grade de papier en lumière diffuse. Ce qui fait dire couramment que la différence entre ces modèles d'éclairage équivaut (plus ou moins) à *un grade de papier*.

8) Sans vouloir les dévaloriser, signalons que les agrandisseurs à lumière diffuse (c'est-à-dire sans aucun condensateur) sont généralement bon marché; on retrouve assez souvent ce type de lumière dans les agrandisseurs de grand format: 4 x 5, 5 x 7, 8 x 10 [10 x 12,5 cm, 12,5 x 17,5, 20,5 x 25 cm].

9) Quant au porte-clichés, mes préférences vont instinctivement à celui qui ne comporte pas de vitre, ce qui élimine de la sorte quatre surfaces de verre à nettoyer.

10) Si vous prévoyez faire de la couleur, choisissez dès maintenant une « tête à couleur », c'est-à-dire un système équipé de tiroirs pour les filtres couleurs (CC Filters).

Le diagramme ci-contre illustre la différence entre les deux types d'illumination les plus courants pour les agrandisseurs (l'un à diffusion, l'autre à condensateurs).

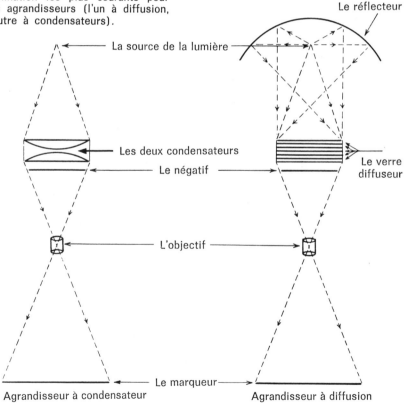

Le réflecteur

La source de la lumière

Les deux condensateurs

Le négatif

Le verre diffuseur

L'objectif

Le marqueur

Agrandisseur à condensateur

Agrandisseur à diffusion

13 Quelle importance doit-on attacher à l'objectif de l'agrandisseur?

1) Au moins autant d'importance qu'à celui de l'appareil photographique! Pourquoi, en effet, paierait-on si cher l'objectif de l'appareil photographique de façon à produire un excellent négatif, pour agrandir ensuite ce négatif réussi avec un objectif de qualité inférieure?

2) Si l'on considère un objectif de première qualité — tels ceux de la famille des Schneider Componon ou les EL-NIKOR, se vendant bien au-dessus de $100 —, que penser d'un objectif sur un agrandisseur vendu $50 (complet)? Oh! vous aurez, bien sûr, beaucoup de plaisir à faire vos premières photos, mais je doute fort que vous le gardiez longtemps lorsque vous aurez décidé de vous lancer dans la photo couleur.

3) Un objectif de qualité inférieure vous donnera une image sans grande définition, dont les coins ou le centre seront hors foyer, selon que la mise au point aura été faite sur l'un ou sur les autres. C'est le cas pour les agrandisseurs à objectif non interchangeable.

4) Toutefois, les agrandisseurs modernes dont le prix dépasse les $75 offrent la possibilité d'utiliser un objectif autre que celui du fabricant. Donc, dans certains cas — je pense notamment au Leica —, il est possible d'utiliser l'objectif de l'appareil photographique sur l'agrandisseur. Ceci dit avec réserve, car les objectifs de prise de vue, corrigés pour travailler à des distances de plus de 3 pieds [91,5 cm], ne peuvent pas vraiment donner une qualité optimum lorsqu'ils sont utilisés sur un agrandisseur. Ce petit inconvénient est cependant vite effacé si l'on diaphragme au moins à f/8.

5) Les objectifs des appareils photographiques étant acceptables pour un agrandisseur, il n'en demeure pas moins que, si l'on pouvait les inverser en les installant sur l'agrandisseur, on noterait une nette amélioration. Tout compte fait, vive les objectifs conçus uniquement pour le tirage!

6) Si le photographe envisage la photo couleur, il est impératif que son objectif soit pleinement « corrigé » pour la couleur, pour l'obtention d'un maximum de contraste et de qualité.

7) Souvenons-nous que la principale caractéristique d'un objectif pour *prise de vue* est bien plus sa puissance que sa planéité de champ ou sa capacité de travailler à courte distance.

8) Tout objectif d'agrandisseur doit posséder un diaphragme et des crans d'arrêt bien définis à chaque division, ceci pour plus d'efficacité, étant donné que le maniement de l'agrandisseur s'effectue toujours dans une demi-obscurité.

9) A ma connaissance, tous les objectifs d'agrandisseur sont de focale « normale », c'est-à-dire 50 mm (à quelques millimètres près), et de puissance excédant rarement f/3.5 pour couvrir la diagonale d'un film 35 mm. Autre point: il est inutile de chercher un grand-angulaire pour tirer vos films 35 mm, dans l'espoir d'obtenir un grossissement plus important sans avoir à projeter à terre ou sur les murs! Cela n'existe tout simplement pas.

Les objectifs d'agrandisseur, conçus uniquement pour le tirage, ne peuvent être employés pour la prise de vue, puisqu'ils ne sont pas munis d'obturateur.

Quelques rares fabricants d'appareils photographiques suggèrent (avec réserve) l'usage des objectifs de prise de vue; c'est le cas de la compagnie Leitz.

14 Quelle est l'importance du rôle joué par la lampe dans la « tête » de l'agrandisseur et quel type me suggérez-vous: les #211, 212 ou 213?

1) Beaucoup d'importance, car, en fait, à chaque type d'agrandisseur correspond un type de lumière. Par exemple, pour un agrandisseur à éclairage dirigé, on devra utiliser une lampe claire, que l'on définit, en termes plus savants, lampe à « filament ramassé » ou « ponctiforme ». A l'aide de deux condensateurs, de l'objectif et de l'ampoule, on arrive à former un système (ou une formule) optique qui, bien au point, donne des images d'une précision extrême. Cette ampoule est généralement très petite et très intense. Le système demande un nouveau réglage de la distance condensateur-lampe pour chaque rapport de grossissement.

2) Les lampes à verre opaque (« frosted ») #211, 212, 213 dont vous faites mention sont utilisées dans presque tous les agrandisseurs à lumière semi-dirigée ou diffuse. Dans le premier cas, on utilise deux condensateurs ou seulement un, en n'omettant pas un ajustement lampe-condensateur, mais beaucoup moins important que pour l'agrandisseur à lumière dirigée. Dans le second cas, ces trois ampoules sont aussi utilisées pour les agrandisseurs ne comportant aucun condensateur, mais plutôt un ou plusieurs verres diffuseurs.

3) Les lampes Photo-Enlarger #211 ont une puissance de 75 watts; les #212, 150 watts; les #213, 250 watts. Bien que tous les agrandisseurs modernes et de prix soient conçus pour permettre une bonne ventilation de la « boîte à lumière », il ne faudrait pas perdre de vue la possibilité de causer des dommages irréparables à un film en utilisant sans considération la fameuse #213.

4) Précisons tout de suite qu'il n'est pas conseillé d'agrandir avec l'objectif tout grand ouvert. Même les meilleurs objectifs ne projettent pas une image parfaitement précise d'un coin à l'autre. C'est pourquoi on recommande de diaphragmer d'au moins deux crans, ce qui tend à uniformiser la précision de l'image projetée et permet d'utiliser l'objectif à son ouverture optimum. Tout ceci est bien correct lorsqu'on utilise des pellicules normales, mais, pour certains négatifs très denses, cette ouverture (avec une lampe #211 ou #212) exige un temps d'exposition démesurément long. C'est encore pire si l'on doit procéder à la surexposition de certaines hautes lumières. D'où la nécessité d'utiliser une lampe #213 pour ramener le temps d'exposition à une durée acceptable. On imagine facilement l'incroyable perte de temps à exposer quelque 50 photos 8 x 10 [20,5 x 25 cm], à raison de 30 ou 40 secondes chacune, avec une ampoule #211, alors qu'une #213 diminuera ce temps d'environ 75%.

5) Par contre, cette ampoule, qu'on désigne par le nom d'ampoule «photo-flood» avec raison, émet aussi beaucoup de chaleur. Si elle doit rester allumée pour un laps de temps prolongé (plus de 25 à 30 secondes) elle brûlera en peu de temps l'isolant placé à l'intérieur du bec de la lampe, en plus d'endommager le film de façon souvent irréparable. Sa durée de vie est d'environ 6 heures.

a) La lampe no 211 de faible puissance (75 watts) peut brûler pendant 100 heures.

b) La no 212 (150 watts) brûle pendant 100 heures; c'est le premier choix des usagers, en général, parce qu'elle constitue un juste milieu entre la 211 et la 213 (cette dernière est fabriquée par General Electric).

6) Certains laboratoires exploités par des photographes ingénieux sont équipés, pour contrer le problème, d'un agrandisseur muni d'un rhéostat permettant l'usage de la #213 à demi-pouvoir, ce qui équivaut à une #212; ainsi, la durée de l'ampoule est double.

15 Ne croyez-vous pas que l'éclairage inactinique d'une chambre noire est souvent beaucoup plus faible qu'il ne devrait?

1) C'est très juste dans bien des cas. Il est malheureux que de nombreux photographes s'astreignent à travailler dans une obscurité presque totale, alors que, très souvent, s'ils se donnaient la peine de se renseigner, ils seraient surpris d'apprendre que, selon le genre de travail qu'ils effectuent, le labo pourrait être éclairé très abondamment. On entend certains photographes déclarer: « Dans mon labo, il fait clair comme en plein jour! »

2) Tous savent (ou devraient savoir) que, pour développer une émulsion panchromatique, l'obscurité totale est de rigueur. Tout au plus peut-on, à la toute fin du temps de développement, procéder à une brève inspection du film (5 secondes au maximum) sous éclairage inactinique d'une lampe à écran vert foncé. En se référant à la définition du dictionnaire Robert, on constate que le mot « inactinique » est ainsi expliqué: « Qui n'a aucune action chimique notable sur une émulsion photographique. » C'est donc dire que, lorsqu'on parle de lampe inactinique pouvant être utilisée pour des émulsions soit panchromatiques, soit orthochromatiques, nous faisons allusion à un type d'ampoule à écran coloré qui émet des radiations lumineuses auxquelles les émulsions sont insensibles, mais que l'œil humain perçoit très bien.

3) C'est ainsi que, pour développer un film à émulsion orthochromatique (très, très peu sensible aux radiations rouges), on peut, en toute liberté, employer un écran coloré WRATTEN série #1 (rouge pâle) ou série #2 (rouge foncé). On peut aussi utiliser pour tous les papiers à tirage au bromure et au chlorobromure (sauf ceux à contraste variable), l'écran vert-jaune WRATTEN série CA. Pour les émulsions Polycontrast, Multicontrast ou autre, on emploie l'écran brun pâle WRATTEN série OC (jaune ambre).

4) Pour s'assurer véritablement de la sûreté de ces lampes, il faut procéder à des essais préliminaires en plaçant une feuille sensible sous l'une d'elles, après y avoir déposé un objet opaque. Après 2 ou 3 minutes, on procédera au développement. Si aucune trace de cet objet n'apparaît, on pourra en conclure que ladite lampe est sûre. Sinon, il faudra la reculer de 1 ou 2 pieds [0,31 ou 0,61 m]. Aucune de ces lanternes, qu'elle soit accrochée au mur ou au plafond, ne devra être munie d'une ampoule supérieure à 15 watts.

5) Il n'y a vraiment aucune limite quant au nombre de lampes pouvant être installées dans un labo, du moment qu'elles sont placées à une distance sûre. L'idéal est encore une lampe tous les 3 ou 4 pieds [0,91 ou 1,22 m], mais dirigée vers le plafond (pâle, de préférence), de façon à inonder la pièce d'une lumière diffuse. *Dans ce cas spécifique,* on pourrait (si le plafond n'est pas pâle) insérer une ampoule de 40 watts. Les indications qui accompagnent le papier photographique suggèrent généralement la puissance des ampoules à utiliser (en watts). L'interrupteur des lumières blanches du labo devrait être placé loin de celui des lampes de sûreté, pour éviter tout accident malencontreux...

Cette Kodak Darkroom Lamp ($10) peut recevoir un filtre circulaire de 5½ pouces [13 cm] de diamètre.

Pour les grands laboratoires, on n'hésite pas à utiliser plusieurs de ces lampes en série. On peut les inverser, à l'aide de chaînes. Pour une lumière diffuse, l'éclairage est tourné vers le plafond.

16 On dit qu'il existe quatre sortes de bassins pour développer les photos (en acier-porcelaine, en plastique, en acier inoxydable et en fibre de verre); comment faire un choix judicieux et pas trop cher?

1) Il fut un temps où le seul type de plat en usage dans un labo était le plat en métal recouvert de porcelaine. Ce genre de plat était lourd, très solide, mais en même temps très vulnérable aux chocs. La moindre petite écorchure — généralement dans les coins — le rendait automatiquement inutilisable. Le métal ainsi mis à nu ne tardait pas à rouiller, et les réactions chimiques engendraient toutes sortes de problèmes au niveau des surfaces sensibles. Personnellement, je vous les déconseille.

2) Les bassins en acier inoxydable sont excellents. Mais, là encore, il faut s'assurer que cet acier est de la meilleure qualité et de bonne épaisseur. Un des avantages de ce matériau antirouille est qu'il peut être commandé sur mesure. Toutefois, vous devrez exiger le 18-8 type 302, le seul vraiment capable de résister à presque tous les produits chimiques. Pour un laboratoire plutôt modeste, je crois que l'investissement est un peu trop élevé à mon goût, surtout si l'on considère que vous aurez à payer près de quatre fois plus cher que pour des plats en plastique.

3) Les plats en plastique sont incontestablement les plus populaires. Ils sont légers et disponibles dans tous les formats désirés, en plus d'être d'un entretien facile et insensibles à la corrosion. Vous aurez tout intérêt à vous procurer l'ensemble de trois plats pouvant recevoir toutes les grandeurs régulières de photos, telles les 4 x 5, les 5 x 7, les 8 x 10, les 11 x 14, et les 16 x 20 [10 x 12,5, 12,5 x 17,5, 20,5 x 25, 28 x 35,5 et 40,5 x 51 cm]; ainsi, selon le format de photo, vous n'utiliserez qu'un minimum de produits chimiques. Souvenez-vous que les bassins que vous envisagez d'acheter devront mesurer 2 pouces [5 cm] de plus — de chaque côté — que la grandeur de la photo à tirer. Exemples: une photo 16 x 20 [40,5 x 51 cm] dans un plat 18 x 22 [46 x 56 cm]; une photo 8 x 10 [20,5 x 25 cm] dans un plat 10 x 12 [25 x 30,5 cm], etc.

4) Pour fins d'identification rapide, vous pourrez même vous les procurer de différentes couleurs en utilisant, par la suite, toujours la même couleur de bassin pour la même opération. Ce procédé minimise le risque de contamination d'une solution par une autre, contamination qui, sans danger réel pour la photo en noir et blanc, pourrait à l'occasion se révéler désastreuse pour la photo couleur.

5) Tous les bassins devraient être lavés à fond à la fin de chaque journée de travail, plus particulièrement si vous avez employé une solution de blanchiment ou de virage. Une bonne habitude à prendre, dès le début, serait celle-ci: lorsque vous

déversez le révélateur et le fixateur, servez-vous de la solution du bain d'arrêt pour rincer ces deux plats et en neutraliser l'alcalinité, pour ensuite les laver à l'eau courante tant à l'intérieur qu'à l'extérieur. J'insiste sur l'extérieur (c'est-à-dire le dessous des plats), car vous voudrez peut-être conserver, à l'occasion, certaines de vos solutions comme le fixateur, par exemple; afin d'éviter l'évaporation rapide durant la nuit, ainsi que la poussière, vous n'aurez qu'à mettre un autre plat dessus et le laisser flotter. J'ai depuis longtemps fabriqué des couvercles flottants pour tous mes bassins. Ils sont en contre-plaqué de ¼ de pouce [0,6 cm] d'épaisseur et recouverts de 4 couches de peinture noire étanche. Je peux ainsi conserver mes solutions pendant plusieurs jours, presque intactes.

Les bassins en plastique ou en fibre de verre, de toutes couleurs, sont de loin les plus populaires et les plus durables.

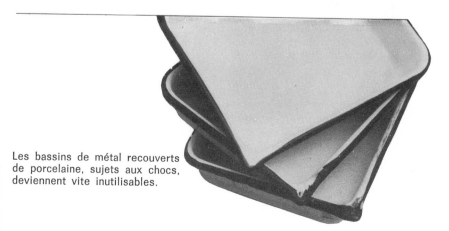

Les bassins de métal recouverts de porcelaine, sujets aux chocs, deviennent vite inutilisables.

17 Il est très difficile pour un amateur débutant d'arrêter son choix sur un type de cuve à développement de films, en raison de la grande variété en magasin; pouvez-vous m'éclairer sur ce sujet?

1) Pour ce genre d'équipement, je crois que le choix du futur usager sera fait bien plus en fonction de sa dextérité manuelle, de son bagage de patience, et aussi en fonction du type de chambre noire qu'il utilise, que d'une quelconque qualité ou même que du coût de ce matériel. Divers types et diverses dimensions existent. On peut s'en procurer en matière plastique, en nylon, en bakelite ou en acier inoxydable.

2) L'enroulement des films 35 mm ou 120 étant, par définition, une des opérations les plus difficiles du développement, on comprend l'acharnement et l'ingéniosité dont font preuve les fabricants pour concevoir bobines et cuves. On les divise en deux catégories: celles dites à enroulement automatique et celles, beaucoup plus difficiles à manier, où la pellicule est enroulée à la main sur une spirale en acier inoxydable.

3) Pour la première catégorie — que je recommande fortement aux tout débutants —, il s'agit de ces petites cuves en plastique noir où le film est enroulé sur une roulette conçue en deux parties ajustables, comportant chacune des rainures en spirale dans lesquelles on glissera les différents formats de film. Au centre du couvercle, on trouve un trou par lequel on introduira les solutions chimiques (de même, on les déversera par cette voie). En outre, cet orifice permet l'introduction d'un thermomètre pour contrôler la température. Une fois le film enroulé et le couvercle fermé, tout le reste de l'opération peut se poursuivre en pleine clarté, sans jamais toucher au film. Les cuves ou réservoirs, en général, ne peuvent contenir qu'un film à la fois (sauf le FR modèle II ajustable ainsi que le Kodacraft Miniature Roll Film Tank, qui acceptent deux bobines); un excellent achat, à mon avis. Certains modèles, tel le PATERSON Tank System, permettent l'enroulement direct de la cassette, donc sans avoir à sortir le film au préalable; encore un excellent choix.

4) Quant à la seconde catégorie, il s'agit tout simplement de cuves en plastique noir ou en acier inoxydable de différentes hauteurs, pouvant recevoir un nombre prédéterminé de roulettes en spirale, également conçues en plastique, nylon ou acier inoxydable. Le format dépend, bien sûr, du volume de travail du photographe. Un réservoir pouvant recevoir 4 roulettes est tout indiqué pour le laboratoire moyen. Les Nikkor Honeywell Q-30 et les Kindermann #23170 (34 onces) sont, à mon avis, les meilleurs.

5) Pour faciliter l'enroulement ou l'introduction de la pellicule, je recommande fortement au débutant de se procurer le dispositif d'«enlignement» (qui n'est pas inclus dans le coût de la cuve), qui permet une bonne amorce du film et rend l'opération très rapide. Sans quoi, il vous faudra prendre beaucoup de temps pour vous exercer... et peut-être n'y arriverez-vous jamais, comme beaucoup de professionnels, d'ailleurs. Vous aurez le choix entre des roulettes pouvant recevoir un rouleau de 36 poses ou un rouleau de 20 poses. A mon avis, je n'achèterais que des roulettes de 36 poses, car elles peuvent accueillir des films de 20 poses, alors que l'inverse est naturellement impossible.

La cuve Paterson n'est qu'une parmi tant d'autres dites "à enroulement automatique".

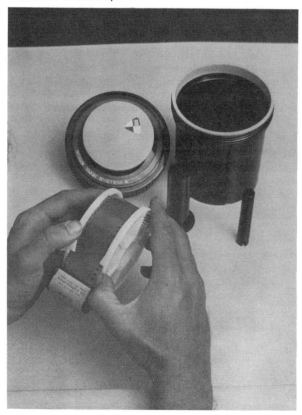

18 On dit qu'après l'agrandisseur, la pièce d'équipement la plus importante pour le labo est la laveuse; qu'en est-il? Pouvez-vous me donner quelques précisions sur les méthodes de lavage les plus efficaces?

1) Il y a du vrai dans cette affirmation, beaucoup de vrai, si l'on considère que le fixage et le lavage des films et des photos sont les étapes cruciales (voir questions no 59-60). Voyons les différents types de cuves de lavage, puisqu'on en est au chapitre de cette quincaillerie.

2) Considérons donc que le travail de chambre noire comporte deux étapes de lavage, soit pour le développement des films et pour le tirage des photos. C'est ainsi que, pour le lavage des films, les fabricants ont conçu des cuves (de type populaire à chargement facile), de manière à pouvoir introduire dans le centre du couvercle, un boyau d'eau afin que cette eau puisse atteindre le fond de la cuve et entraîner les dépôts d'hyposulfite vers l'extérieur (autrement, plus lourds que l'eau, ils resteraient au fond).

3) Le même principe s'applique aux longues cuves en acier inoxydable pouvant contenir 4 ou 5 bobines de film. Celles-ci sont placées dans la cuve (ou descendues) à l'aide d'une tige creuse qui permet le passage de l'eau de lavage pour des périodes de temps prédéterminées.

4) Pour ce qui est du lavage des épreuves , retenons que les meilleures laveuses sont celles qui, de par leur construction, exercent — par la pression de l'eau — un mou-

vement continu à l'intérieur de la cuve. Les photos, pour être bien lavées, doivent être constamment remuées. Certaines laveuses ont une arrivée d'eau par un tube de métal (circulaire ou droit) percé d'une série de petits trous. Le tube étant au fond de la cuve, il entraîne vers la surface le produit à éliminer et, du même coup, par le courant qu'il crée, il bouge constamment les photos.

5) D'autres modèles, dits cuves giratoires, aussi actionnés par une série de petits jets d'eau, impriment aux photos un mouvement de rotation continuel à l'horizontale. Le système est doublé d'un siphon ancré en bordure de la cuve (peu profonde, d'ailleurs) qui évacue l'eau de lavage, empêchant celle-ci de déborder. Mais, là encore, il faut constamment séparer les épreuves à la main ou à l'aide d'une spatule. Enfin, il existe un autre type de laveuse constituée d'un baril rotatif. Il s'agit d'un tambour rotatif en acier inoxydable perforé, d'axe horizontal, qui tourne à l'intérieur d'un bac empli d'eau. L'arrivée d'eau faisant pression sur une extrémité du tambour muni d'une roue à ailettes (comme les moulins à eau), le tambour tourne, entraînant les photos avec lui, et effectuant ainsi un lavage que je considère comme le plus efficace. Pour le tambour de marque Arkay, il faut compter payer au moins $125. Les autres sont à des prix qui varient de $25 à $100.

6) Pour les moins fortunés d'entre vous, mais qui peuvent passer plus de temps au lavage, procurez-vous un bon Kodak Tray Syphon et installez-le sur le rebord d'un bassin 8 x 10 [20,5 x 25,5 cm] ; vous n'aurez pas de problèmes si vous agitez régulièrement les épreuves à la main.

Voici, à mon avis, les deux méthodes de lavage les plus efficaces.

La laveuse Arkay ($150) est très efficace mais elle doit être nettoyée de ses taches blanches (hyposulfite) après chaque session de photos.

19 Quel équipement me suggérez-vous pour sécher mes photos glacées et mes photos mates?

1) On peut faire appel à plusieurs méthodes pour obtenir un fini dit « glacé » sur papier brillant. Il en est de même pour les papiers mats. Ici encore, je voudrais référer le lecteur à une autre question qui traite de ce sujet plus à fond (voir questions no 56 et 62).

2) En ce qui a trait au séchage glacé, on note deux types d'appareils très différents quant à la manière de procéder. J'élimine, dès le départ, cet appareil pour professionnels qu'on appel Pako Rotary Dryer. Quand même, pour votre information, il s'agit d'un énorme cylindre en acier inoxydable mesurant 26 pouces [66 cm] de largeur (voir photo), autour duquel est enroulé un tablier de toile très épaisse, et sur lequel sont placées les photos (émulsion vers le haut). Un moteur actionne ce tambour rotatif, chauffant la toile et la faisant avancer à la vitesse désirée; les épreuves passent entre la toile et un rouleau caoutchouté et subissent un contact et un essorage parfaits; son coût atteint les $1,500.

3) Vient ensuite cette autre glaceuse-sécheuse, chauffée à l'électricité, qui se présente sous la forme d'un plateau double pouvant recevoir deux plaques en acier inoxydable chromé, appelées « ferrotype plate ». Ce modèle est de beaucoup plus accessible au budget de l'amateur (environ $125). Ce qui serait encore plus économique, ce serait

de se procurer seulement deux ou trois plaques chromées et de procéder au séchage à l'air libre. Bien que lent, ce procédé garantit un excellent glaçage, en plus d'être économique (environ $3 la plaque).

4) Une autre méthode de glaçage à froid consiste à coller les épreuves sur une vitre extrêmement propre à l'aide d'un rouleau en caoutchouc et de les laisser sécher à l'air libre. Cette méthode date de plus d'un demi-siècle et fut d'ailleurs la première à être utilisée par les pionniers de la photographie. On faisait même sécher les photographies sur une plaque de métal recouverte d'une laque brillante; à cette époque, on les nommait des plaques noires. Savez-vous que les experts vous diront que jamais — même avec nos méthodes de séchage brillant les plus modernes —, on n'a réussi à surpasser la qualité de cet ancien glaçage?

5) Les mêmes machines — à séchage à chaud — ci-haut mentionnées servent aussi à sécher les épreuves mates. Il s'agira, bien sûr, d'inverser la photographie, de manière à ce que le dos soit face à la surface chromée. Là encore, la température joue un rôle important: plus elle est basse, plus les photos seront planes, c'est-à-dire sans gondolage. Cependant, la méthode classique pour sécher les épreuves mates est de les déposer sur un rouleau buvard conçu spécialement à

cette fin, ou encore entre des feuilles de buvard empilées à plat les unes sur les autres, en exerçant une légère pression. Les papiers mats ou semi-mats ainsi traités conserveront au maximum leur bel aspect de surface. Plusieurs professionnels (j'en suis) préfèrent au papier buvard la moustiquaire (en plastique de préférence) tendue sur un cadrage en bois et laissée à l'horizontale, sur laquelle sont déposées les épreuves mates. Cette méthode assure un séchage très uniforme. Et pourquoi pas la bonne vieille corde à linge pour suspendre les photos grand format?

La sécheuse-glaceuse la plus populaire.

Rouleau servant à coller les photos sur la plaque ferrotype de la sécheuse-glaceuse.

Pour une meilleure conservation de la délicate texture des papiers finis mat, on doit utiliser un rouleau de papier-buvard.

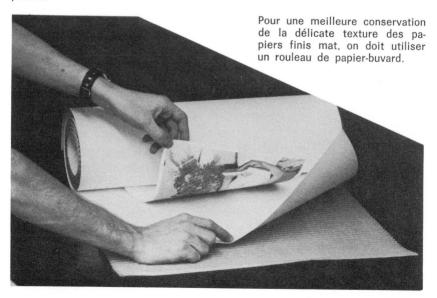

20 Quel serait, selon vous, le type de margeur idéal pour répondre aux besoins d'un amateur moyen et quelles seraient ses principales caractéristiques?

1) Il existe une assez grande variété de margeurs (porte-papier), de quoi satisfaire toutes les exigences des amateurs les plus difficiles. C'est tout d'abord le simple margeur, pouvant recevoir tous les formats miniatures jusqu'à 8 x 10 [20,5 x 25,5 cm]. L'autre extrême, c'est le margeur le plus perfectionné (et le plus cher aussi) fonctionnant selon le même principe que l'aspirateur électrique (vacuum). Entre ces deux modèles, vous trouverez toutes sortes de margeurs: les plus lourds et les plus précis pouvant recevoir une feuille 11 x 14 [28 x 35,5 cm], d'autres allant jusqu'à 16 x 20 [45,5 x 51 cm]; d'autres, encore, sont conçus pour tirer des épreuves sans bordure (pour tous les formats), tandis que certains fonctionnent à partir d'une table de projection magnétisée, sans oublier ces quelques rares modèles dont le plateau est inclinable grâce à une rotule employée pour redresser les lignes parallèles.

2) Il est bien évident que, pour l'amateur moyen — qui ne dépassera que très rarement les formats 11 x 14 [28 x 35,5 cm], il serait inutile et trop onéreux — pour ne pas dire encombrant — de se procurer un margeur 16 x 20 [45,5 x 51 cm]. C'est à peine si quelques professionnels l'utilisent. On fera plutôt appel tout simplement à quatre petites punaises que l'on piquera aux quatre coins de l'épreuve. Faire des agrandissements 16 x 20 [45,5 x 51 cm] nécessite un processus plutôt lent où chaque étape est exécutée avec soin et pondération, car nous manipulons du papier assez cher (plus de 50 cents la feuille) et il ne faut pas en rater une, contrairement aux formats plus petits (tel le 8 x 10: [20,5 x 25,5 cm]) qu'on manipule avec plus de confiance et de rapidité. En vous reportant à la photo ci-contre, vous verrez aussi qu'il est possible de fabriquer un margeur sans bordure pour des épreuves 16 x 20 [45,5 x 51 cm] et ce, à très peu de frais, margeur qui est très sûr en plus d'assurer à la feuille une planéité remarquable. Prière de consulter la question no 61 pour connaître ma technique personnelle de tirage de grand format.

3) Les margeurs sont en général de bonne qualité; il s'en trouve quand même qui, parfois, présentent certains défauts de cadrage. Il serait bon de vous munir d'une petite équerre et de bien vérifier le cadrage lors de l'achat.

4) Un margeur est essentiellement un cadre posé sur une surface de bois ou de métal et qu'on peut lever à l'aide d'une charnière (environ 45 degrés), afin d'y insérer une feuille de papier sensible. A l'intérieur de ce cadre, coulissent deux

Le margeur Saunders Omega est, à mon avis, le margeur le plus efficace et le plus pratique comme le démontrent les illustrations ci-contre.

Ajustement du cadre.

Insertion du papier.

Margeur à retouche.

Epreuves.

Epreuves sans cadre.

Un margeur "maison" (sans marges) est facile à fabriquer à l'aide de deux rainures d'aluminium achetées à la quincaillerie.

Gros plan montrant la rainure
qui retient le papier.

bandes de métal noir — de bas en haut et de gauche à droite —, bandes qui s'arrêteront à la dimension désirée (4 x 5, 5 x 7, 8 x 10, ou même 11 x 14: [10 x 12,5, 12,5 x 17,5, 20,5 x 25,5 ou même 28 x 35,5 cm]), suivant le type de margeur, et qui masqueront ainsi une fine partie de la bordure de l'épreuve (⅛, ¼ ou même ½ pouce: [0,3, 0,6 ou même 1,27 cm]); de là, la bordure blanche. Le plateau ou la base même du margeur est généralement peint en blanc afin de faciliter la mise au point de l'image projetée. D'autres modèles de margeurs sont munis de quatre bandes de métal coulissantes qui sont tou-

tes actionnées vers le centre du cadre, contrairement à celui décrit précédemment, où la feuille de papier sensible doit être placée dans le coin gauche en haut.

5) Pour ceux qui travaillent à partir d'un puits de projection, le margeur à quatre bandes à masquage est tout indiqué (voir question no 20). Pour les grands formats (20 x 24 ou 24 x 40: [51 x 61 ou 61 x 76 cm]), on procède ordinairement avec du « Masking Tape » ayant deux côtés adhésifs. Un petit morceau de ½ pouce [0,6 cm] dans chaque coin de l'épreuve suffit pour la maintenir en place.

57

21 Quelle différence y a-t-il entre un contrôleur de mise au point micrométrique et un verre grossissant? Quel est leur pouvoir de grossissement respectif? Quel est leur prix respectif?

1) Une nette distinction s'impose entre les deux dispositifs de grossissement dont vous faites mention dans votre question. Il s'agit, dans le premier cas, d'un outil de chambre noire servant uniquement au tirage des épreuves. Ce contrôleur de mise au point micrométrique permet une mise au point extrêmement fine de l'image réelle du grain de la pellicule. Au moment de l'utiliser, l'opérateur doit déposer le contrôleur sur un échantillon de papier d'agrandissement semblable à celui qui sera exposé après, car, vu la forte échelle de grossissement ainsi obtenue, l'épaisseur même du papier doit être prise en considération. Contrairement à d'autres appareils analogues qui, par un jeu de miroirs et d'optique, nous font voir une image grossie de 5 à 10 fois, celui-ci — dit micrométrique, nous révèle uniquement la structure du grain, avec la puissance d'un microscope, assurant une mise au point doublement précise, surtout pour les tirages à très grand format. Son prix varie entre $10 et $20. Je n'hésite pas à dire que cet outil est aussi important en chambre noire pour le photographe que cette espèce de loupe à deux lentilles qu'on voit fixée aux lunettes d'un joaillier.

2) Quant au verre grossissant (tout aussi utile que le contrôleur de mise au point), c'est tout simplement une lentille convergente servant à grossir les objets. Cette loupe trouve son application surtout en chambre noire pour l'examen des négatifs, des diapositives et des épreuves contact (voir question no 51), mais aussi pour faire la mise au point sur le verre dépoli des appareils photographiques grand format, tels les 4 x 5, les 5 x 7 et les 8 x 10 [10 x 12,5, 12,5 x 17,5 et 20,5 x 25,5 cm]. Il n'offre aucun avantage pour la mise au point à l'agrandisseur, étant conçu pour visionner des films éclairés par transparence et à angle droit. Cependant, certains d'entre eux dont les parois du tube sont en matière plastique ou ajourées, permettent l'inspection de surface opaque par lumière réfléchie.

3) Comme l'indiquent les illustrations, il s'agit d'un objet relativement petit, pouvant facilement être rangé dans une poche de veston. On en trouve au moins une bonne douzaine de marques différentes. On notera également que leur coût n'est pas nécessairement proportionnel à leur puissance ou à leur angle de vue. Cette puissance de grossissement varie de 5 à 30 fois. Il en existe pour toutes les bourses, de $5 à $50.

4) Pour tous ceux qui l'ignoreraient, vous avez à portée de votre main une excellente loupe: l'objec-

tif interchangeable de votre appareil photographique. Il peut en effet faire fonction de loupe dans les situations d'urgence.

Voici le micromètre qu'on utilise pour faire la mise au point directement sur la structure du grain d'une pellicule.

Le contrôleur de mise au point Magna Sight.

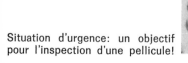

Situation d'urgence: un objectif pour l'inspection d'une pellicule!

59

Cinq types de verres grossis-
sants de différentes puissances,
parmi des douzaines d'autres types.

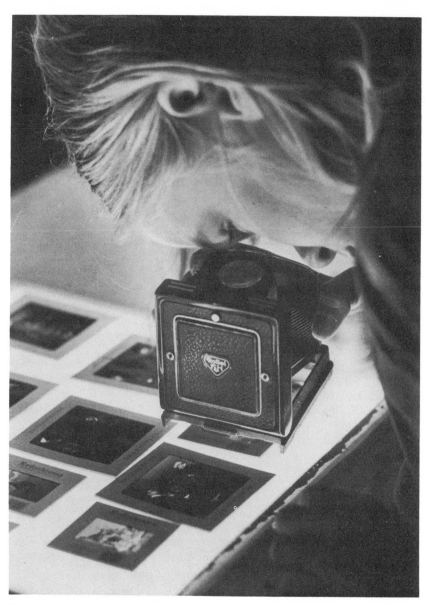

Cette loupe géante utilisée sur
les appareils photographiques
2¼ x 2¼ [6 x 6] sert aussi à
l'inspection des films.

22 D'après votre expérience, pouvez-vous me dire comment je pourrais installer un système de minuterie fonctionnel dans mon labo, autant pour le développement des films que pour le tirage des épreuves?

1) On semble attacher très peu d'importance, à mon avis, dans la littérature photographique, au compte-poses, à la minuterie ou tout simplement au bon vieux réveil à ressort ou électrique, chacun d'entre eux constituant une pièce d'équipement inhérente à la chambre noire. Je crois pouvoir dire, sans risquer de me tromper, que rien ne bouge dans un laboratoire, qu'aucune opération essentielle ne s'effectue sans l'aide d'un mouvement d'horlogerie quelconque, souvent avec la précision d'un chronomètre.

2) Ici encore, la variété et les catégories ne manquent pas. A partir du simple réveille-matin (qui, en fait, ne sert qu'à donner l'heure) jusqu'au compte-poses à mouvement d'horlogerie allant de une à 60 secondes, ainsi que de 60 secondes à une heure, on en arrive à la minuterie audible qu'offre le simple métronome.

3) Tous ces appareils, admettons-le, sont très précis. Cette précision est d'autant plus nécessaire que les temps de pose sont parfois très courts. Le compte-poses du type Time-O-Light est conçu pour être relié à l'agrandisseur par une de ses deux prises de courant, l'autre servant d'interrupteur pour la lampe actinique. De sorte que, après avoir réglé un temps de pose donné, l'allumage de la lampe de l'agrandis-

seur s'effectue et, automatiquement, les lampes de sûreté s'éteignent (cet allumage peut également être effectué à l'aide d'un interrupteur au sol, s'opérant à la pression du pied), le compte-poses automatique fonctionne pour le nombre de secondes désiré puis, instantanément, la lampe de sûreté se rallume, tandis que celle de l'agrandisseur s'éteint.

4) L'avantage de cette autre minuterie qui se nomme Gralab réside dans le fait que l'appareil mesure environ 10 x 10 pouces [25,5 x 25,5 cm] et possède un grand cadran lumineux qu'on peut facilement repérer de n'importe quel endroit du labo. Son usage principal: le minutage du développement des films et des épreuves. C'est donc une minuterie visuelle et non automatique par rapport à la minuterie reliée à l'agrandisseur. Que ce soit pour le tirage à l'agrandisseur ou pour le développement des épreuves, ces cadrans sont absolument essentiels dans le cas où un nombre assez considérable d'épreuves *d'un même négatif* doit être tiré.

5) Quant à moi, j'ai depuis longtemps opté pour le métronome (pour la musique, oui!). Ce tic tac audible (excusez le pléonasme) me sert de bruit de fond, de trame sonore, quoi! durant tout le temps que je passe au labo. Et savez-vous que, parfois, il se marie harmonieuse-

La minuterie GRA-LAB (visible dans l'obscurité) sert tout aussi bien au développement des films qu'au tirage des photos.

Tout agrandisseur devrait être équipé d'une telle minuterie totalement automatique jusqu'à une minute.

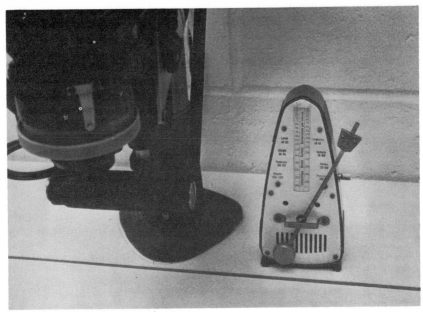

Le métronome procure un bruit
de fond continu (tic-tac égale une
seconde) et évite d'avoir à regarder une minuterie "visuelle".

ment avec la musique de ma radio
FM? Plus important encore: lorsqu'il est réglé sur un tempo de 60
tics à la minute, il me permet de
concentrer toute mon attention sur
mon travail sans avoir à surveiller
un cadran; en plus, si je dois ajouter aux 8 à 10 secondes de temps
d'exposition 5 ou 6 autres secondes
de « maquillage », je n'ai qu'à continuer de compter (au bruit), sans
avoir à régler de nouveau le cadran.

Hors-texte.

23 J'ai entendu parler d'un sécheur de film pouvant être construit à partir d'un sac en polythène et à très bon marché; pouvez-vous m'en parler plus longuement?

1) En effet, un nombre de plus en plus important d'amateurs utilisent ce mode de séchage pour film, étant donné l'investissement peu élevé qu'il demande et la facilité incroyable avec laquelle on arrive à le fabriquer. Avant d'aller plus loin, je voudrais préciser quelques points clés quant au cheminement à suivre et aux exigences spécifiques permettant un bon séchage, à l'abri de toute bévue.

2) **a)** Il faut procéder au séchage immédiatement après le fixage, car tout délai inutile augmente les risques de dommages causés à l'émulsion qui, dois-je insister? est très sujette à la détérioration, à ce stade-ci.

b) Si le séchage est effectué à l'air chaud, s'assurer que ce dernier ne soit pas excessif (125 degrés F: 52 °C) et bien réparti, de telle sorte que le séchage du film ne s'effectue pas trop vite.

c) On peut utiliser une peau de chamois ou une éponge pour essuyer *très, très délicatement* les deux surfaces des rouleaux 35 mm ou 2¼ x 2¼ [6 x 6 cm]. Quant à moi, ce procédé me donne la chair de poule . . . Je préfère tremper le(s) film(s) dans une solution d'« agent mouillant » (Foto-Flo ou autre), et laisser le film s'égoutter normalement.

d) La longue bande de film 35 mm séchera proprement et sans s'enrouler si on l'accroche à un fil avec une pince antirouille et une autre pince plus lourde en bas, de manière à ce qu'elle soit bien tendue.

e) Séparer amplement les films ou les plaquer pour assurer une bonne circulation de l'air et éviter ainsi qu'ils collent ensemble (bévue irréparable).

f) Si les films sont accrochés à l'air libre, il faudra éviter un trop grand va-et-vient dans la pièce pour ne pas soulever de poussière.

g) Je regrette, mais les marques de gouttes d'eau à la surface de l'émulsion — après le séchage — sont irréparables. Aussi, faut-il s'assurer, avant, qu'il n'y a pas de moustiques, maringouins et autres insectes . . . qui adorent inspecter les films avant vous!

3) Comme l'illustration ci-contre le démontre, le cabinet à séchage idéal et à la portée de tout le monde, est encore ce sac en polythène qui sert à ranger les manteaux de fourrure ou les habits désuets (avant de les donner aux disciples d'Emmaüs) et qui est disponible un peu partout (environ $2.50), combiné avec un sèche-cheveux . . . avec l'autorisation de Madame, bien sûr. Le seul changement à apporter serait d'ajouter une broche ou deux à la partie supérieure, en ayant soin d'y glisser cinq ou six pinces en

acier inoxydable avant d'ancrer la broche au cadre de métal.

4) Reste maintenant à percer, au centre du carton (au bas du sac), un trou *juste assez grand* pour y insérer le boyau du sèche-cheveux. Le contrôle de la température ainsi que la circulation de l'air se font en ouvrant plus ou moins la fermeture éclair. Ceci est très important, car une chaleur excessive est à déconseiller et il faudrait attendre au moins 15 minutes avant que le (s) film (s) soit (ent) séché (s) à point.

Vue extérieure d'ensemble de ce séchoir (pour éviter un gonflement exagéré, entrouvrir la fermeture éclair).

Vue intérieure du haut d'un séchoir "maison".
Vue intérieure du bas de ce même séchoir (remarquer l'entrée d'air chaud).

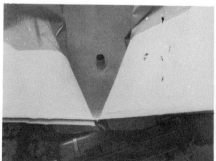

24 N'est-il pas vrai que, finalement, pour qu'une chambre noire soit vraiment fonctionnelle, on doit faire appel à une foule de petits articles qu'on évite de mentionner lorsqu'on parle du coût réel de cette chambre noire?

1) Eh bien, oui! C'est un peu comme lorsqu'on dit à une cuisinière que, pour faire telle ou telle recette, tout ce dont elle a besoin, c'est de trois ou quatre ingrédients, et le tour est joué! On oublie de dire que, dans une cuisine — en dehors des meubles et des grosses pièces d'équipement fixes —, on trouve aussi plusieurs tiroirs remplis d'ustensiles de toutes sortes qui, finalement, ont tous leur utilité à un moment donné.

2) La liste de tous ces accessoires divers pourrait être très longue, mais je me contenterai de ne mentionner que les principaux — je fais confiance aux fabricants pour en inventer d'autres qui, nous diront-ils, seront tout aussi indispensables que les précédents. Admettons quand même que toute cette quincaillerie peut rendre la vie un peu plus facile au photographe, à l'occasion. Inutile d'insister sur le fait que beaucoup de ces accessoires peuvent être achetés dans une quincaillerie et à meilleur compte que dans un magasin de matériel photographique.

3) La liste qui suit, quoique incomplète, est rédigée selon l'ordre d'importance que j'attribue à ces pièces d'équipement:

a) un tranchoir pouvant recevoir du papier dont le format va jusqu'à 11 x 14 pouces [28 x 35,5 cm]. C'est un article très important mais pas aussi complexe que la minuterie, par exemple; considérez donc son coût d'achat proportionnellement à sa qualité;

b) une bonne douzaine de pinces en acier inoxydable pour suspendre les films; des épingles à linge en bois font tout aussi bien l'affaire;

c) un ouvre-cassette pour film 35 mm fabriqué par Kodak; il est généralement fixé à la table de travail (côté sec du labo), tout près du tranchoir;

d) un thermomètre, peut-être même deux. Un pour contrôler la température des bains à développement, l'autre pouvant être plongé dans les cuves profondes pour le développement des films. Toutes les indications sur ces thermomètres devront être écrites en noir et non en rouge, car le rouge devient invisible à la lumière rouge;

e) des pots gradués de 8 onces [248 g, 0,240 l], 16 onces [496 g, 0,480 l] et de 32 onces [992 g, 0,960 l], en verre transparent, ainsi qu'un bocal en acier inoxydable de 64 onces [1,984 kg, 1,920 l] pour diluer les produits chimiques;

f) une ou deux spatules en bois ou en plastique pour brasser les produits chimiques;

g) un tablier pour Monsieur ou Madame, en fini plastique de préfé-

L'ouvre-cassette 35 mm.

Les trois formats de contenants gradués les plus courants.

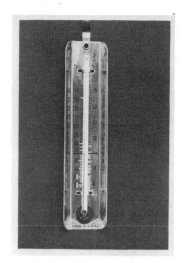

Un thermomètre facile à lire.

Une paire de ciseaux.

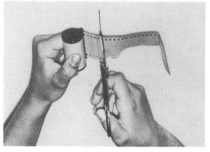

rence, et pouvant être lavé rapidement, ce qui évite beaucoup de prises de bec avec la maîtresse de maison;

h) des serviettes en papier ou en tissu, placées en des endroits stratégiques du laboratoire; par exemple, il en faut une immédiatement après le bain de lavage;

i) une ou deux éponges en plus d'une peau de chamois (bien lire les instructions qui accompagnent cette peau de chamois);

j) un seau en polythène de 2 gallons [Impérial: 9,6 l — US: 7,68 l] avec un couvercle; ce récipient servira à diluer les grosses quantités de produits chimiques;

k) des pinces en bois, en plastique ou en acier inoxydable pour éviter tout contact direct avec les épreuves;

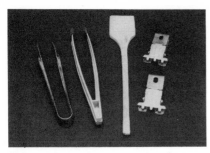

Diverses pinces pour usages divers.

l) finalement, des gants en plastique, surtout pour ceux ou celles qui seraient allergiques aux produits chimiques. Personnellement, je n'utilise jamais de gants, si ce n'est en quelques rares occasions, pour protéger une coupure ou un doigt meurtri.

Bientôt, vous aurez accumulé tout un arsenal de pots et de bouteilles de toutes sortes. C'est normal. N'oubliez pas de vous procurer une bonne dose de courage et une bonne provision de patience . . .

Les serviettes de papier sont souvent préférables à des serviettes en tissu.

La trancheuse doit être placée
près de la visionneuse.

25 Considérez-vous qu'il s'agisse d'une économie que de charger soi-même ses cassettes de film, compte tenu de l'amortissement du coût des chargeurs et des cassettes?

1) Oui, il y a évidemment économie. En fait, c'est comme si vous obteniez un escompte d'environ 40% sur l'achat de vos films. A titre d'exemple, disons qu'une bobine de film TRI-X 35 mm [24 x 36] (36 clichés) vous coûte $1.30. Un rouleau de 100 pieds [30,48 m] de ce même film se vend environ $9, et vous pourrez effectuer 18 chargements de 36 poses, ce qui suppose un coût de 50 sous par cassette auquel vous devrez cependant ajouter le coût de la cassette même (environ 35 sous). Donc, voilà la différence: 85 sous au lieu de $1.30. A noter que la cassette, une fois achetée, servira à plusieurs autres chargements, ce qui réduira encore le coût par film.

2) Ici, il faut bien distinguer deux types de bobine 35 mm [24 x 36]: les cassettes et les cartouches. Si l'on parle de cartouches, on fait généralement allusion au contenant original dans lequel le film est vendu et que l'usager peut recharger lui-même. On peut soit dévisser, soit refermer à l'aide d'un bouchon agrafe, l'un des bouts de ces cartouches. Les cartouches de la compagnie Kodak ne peuvent pas être rechargées, car, une fois ouvertes, elles sont définitivement inutilisables. Quant aux cartouches proprement dites, ce sont des contenants en métal ou en plastique noir, conçus spécifiquement pour être chargés par les usagers. Leur prix varie entre $5 et $15 pièce. Elles sont constituées de trois parties: le petit tambour qui recevra le film, une canette intérieure et une canette extérieure. Leur principal avantage est qu'elles n'ont pas de « bec feutré », ce qui élimine (parfois) les risques d'endommager le film.

3) L'analyse de chacun des chargeurs disponibles sur le marché serait trop longue. Disons sommairement que, pour quelques modèles, le chargement doit s'effectuer dans l'obscurité complète et que, pour d'autres, ce n'est pas nécessaire. Ces derniers coûtent plus cher, bien entendu. Certains sont conçus de telle sorte que vous entendez un clic répété qui vous permet de calculer le nombre de clichés désirés; pour d'autres, il vous faudra compter le nombre de tours de manivelle qui correspondra à un nombre X de clichés. On notera que certains modèles ne s'adaptent pas à certains types de cassette, d'où l'importance de se procurer un chargeur qui conviendra à vos cassettes.

4) L'addition d'un chargeur à votre équipement de chambre noire vous place dans une situation privilégiée, c'est indéniable. Pensez d'abord à cette kyrielle de différents types d'émulsion qui ne sont disponibles qu'en rouleaux de 100 pieds

[30,48 m]. Je pense au film Kodalick Ortho ... en 35 mm [24 x 36] (100 pieds), beaucoup plus contrasté que le Kodak High Contrast Copyfilm, disponible en cassettes de 36 pieds [10,97 m]. Je pense aussi au Kodak Ektacolor Slide Film (développement dans C-22) pour faire des photos couleur de vos négatifs couleur, et combien, combien d'autres? Il existe des chargeurs pour tous les goûts et à tous les prix. Assurez-vous de bien lire les instructions qui les accompagnent. C'est une habitude à prendre, une simple erreur suffisant à gaspiller 100 pieds [30,48 m] de film ...

Deux types de nécessaires à embobinage d'emploi facile.

26

Y a-t-il encore des amateurs qui préparent eux-mêmes leurs produits chimiques (révélateur, hypo et autres)? Si oui, ils doivent avoir de bonnes raisons d'agir ainsi. Quelles sont-elles?

1) A la question no 24, traitant des accessoires mineurs pour le labo, j'ai délibérément omis de parler d'une balance pour mesurer les doses de produits chimiques. C'est parce qu'il est devenu extrêmement rare, sinon impossible, de rencontrer un amateur (même très sérieux) qui mélange lui-même ses solutions chimiques. Presque toutes ces solutions chimiques utilisées couramment dans la chambre noire vous sont vendues en solutions préparées (dans des boîtes métalliques, en carton ou dans des sacs en plastique), prêtes à être utilisées en n'y ajoutant que de l'eau. Avouez que c'est le meilleur moyen de *ne jamais savoir* de quoi est constitué un révélateur ou un fixateur (voir question no 28).

2) Si l'on fait exception de certaines formules secrètes, il est clair que tous ces produits tout faits peuvent être préparés par l'usager en suivant scrupuleusement les recettes fournies par les fabricants de films, recettes qu'on retrouve dans tous les livres traitant du sujet. En fait, ce n'est qu'une question de choix entre l'ouvre-boîtes électrique et le livre de recettes! Les adeptes des formules préparées en labo vous diront que ce n'est pas aussi long à préparer qu'on le pense, qu'ils réalisent des économies d'argent, que cela leur offre une plus grande va-

riété de révélateurs (ajoutant que certains révélateurs ne sont pas disponibles en formule préparée), et qu'il leur est ainsi permis d'adapter les solutions à leur système photographique. Je ne puis que m'incliner devant ces arguments, à condition que ces amateurs-là soient familiarisés avec les poids et mesures, les grains, les grammes, les onces, etc.

3) Donc, la balance (et tous les petits poids qui l'accompagnent) deviendra une autre pièce d'équipement de votre chambre noire. A l'instar du chargeur automatique dont il est fait mention à la question no 25, vous économiserez des sous et vous apprendrez en plus la fonction de chacun des ingrédients qui composent un révélateur. Vous saurez enfin pourquoi le fixateur dégage de si fortes odeurs et vous pourrez même en faire un qui soit inodore en éliminant l'acide borique et en le remplaçant par du kodalk — un produit chimique alcalin qui, de toute façon, s'élimine plus facilement lors du lavage. Vous apprendrez aussi que le révélateur est constitué, entre autres, de deux agents développeurs, l'élon et l'hydroquinone; le premier contrôle la douceur des tons et assure un bon équilibre dans les ombres, alors que le second régit le contraste. Sachant ceci, il devient donc possible, en diminuant ou en augmentant la dose de l'un ou de l'autre ou même en éliminant l'un d'eux complètement, de fabriquer un révélateur conforme à vos besoins spécifiques: doux ou contrasté selon le cas. Dans certains cas, on fera appel à deux bains de développement.

4) La préparation des chimies maison ne se limite pas aux seuls révélateurs ou fixateurs, mais s'étend à toute une série de solutions, tels les reconstituants (« replenishers »), les nettoyeurs à bassin, etc. Bien des livres vous éclaireront dans ce domaine.

Hors-texte.

CHAPITRE 3

matériel photographique

27 Que se produit-il exactement lorsqu'on développe un film ou une épreuve?

1) Les fabricants de solutions chimiques, tels les révélateurs et les fixateurs, ne peuvent vraiment pas produire pour une seule personne ni pour satisfaire un besoin bien spécial. Le photographe sérieux PEUT le faire, comme on l'a vu à la question no 26 . C'est ainsi qu'on trouve sur le marché une multitude de marques de révélateurs dits « universels », dont les noms sont devenus très populaires et qui répondent aux exigences d'une foule d'usagers selon le type de film utilisé ou selon l'indice de sensibilité auquel il a été exposé. A ce propos, un révélateur à film peut difficilement servir à développer une épreuve, alors que le contraire est possible. Les films développés dans un révélateur à papier devront l'être pour une période de temps coupée de moitié — par rapport à un révélateur plus ordinaire —, et avec un minimum d'agitation.

2) Quant au phénomène qui se produit au moment du développement, en voici brièvement quelques explications (veuillez considérer cette tentative d'explication autant pour les émulsions-films que pour les papiers). Tout le monde sait qu'on ne relève aucune trace d'image à la surface d'une émulsion non développée, car elle ne subit aucune modification visible après avoir été exposée à la lumière. Nous savons toutefois que, sous cette surface, se dissimule une image latente ou en puissance qui se révélera pleinement sous l'action chimique d'un révélateur.

3) En effet, si l'on exposait cette couche sensible à la lumière intense du soleil à l'extérieur de l'appareil photo, après quelques minutes on commencerait à percevoir une légère teinte grise. Ceci prouve donc qu'il se produit *une réaction chimique immédiate.* Au moment de l'exposition, déjà la bromure d'argent commence à se transformer en argent métallique noir, en laissant des traces infinitésimales de noircissement direct, lesquelles, quoique non visibles à l'œil nu, pourraient aisément se voir sous un microscope.

4) Pour rendre visible cette image « virtuelle », on devra procéder au développement. Ainsi donc, l'ensemble des produits chimiques que l'on utilisera pour faire apparaître cette image s'appellera révélateur. On sait aussi que, tant que le film sera conservé dans des conditions adéquates, il n'existe pas, théoriquement, de date limite entre le moment de l'exposition et le moment de son développement. On a même déjà développé avec succès des images vieilles d'une soixantaine d'années.

5) Ceci m'amène à dire un mot sur le grain qui, souvent, est considéré comme inacceptable par certains puristes de l'image, alors que, s'il n'y a pas de grain, il n'y a pas d'image. Rappelons que la structure même d'une émulsion est constituée de millions de particules microscopiques que l'on appelle grain de bromure d'argent. Ce qu'il faut retenir, c'est que le grain ne se trouve nullement modifié lors de la formation de l'image latente; tout au plus, s'est-il produit une réaction chimique qui fait que le grain a été sensibilisé par l'action de la lumiè-re, et ce, à des degrés plus ou moins accentués selon les intensités lumineuses. La raison fondamentale de l'apparence du grain — plus ou moins gros — est que, sous l'influence du révélateur, les particules de bromure d'argent auront tendance à s'agglutiner en colonies bien précises qui formeront ces grains.

Pellicule non exposée mais développée normalement. Les indications en bordure du film (exposées par le fabricant au moment de la fabrication) sont la preuve d'un développement normal.

Film accidentellement "développé" dans le fixateur... Tous les sels d'argent, exposés ou non, ont été éliminés par l'hyposulfite, même les indications en bordure.

Film légèrement voilé (non exposé à l'appareil) qui se traduit par un développement normal et uniforme des sels d'argent, bordure et tout.

L'amorce du film qui est toujours exposée à la lumière ambiante est développée en un noir foncé et très opaque.

28

Quels sont les éléments composant un révélateur et pourquoi n'existe-t-il pas un seul et unique révélateur pour tous les films?

1) Il n'y a pas qu'un seul type de révélateur pour la bonne raison qu'il n'y a pas qu'un seul type de film ou d'émulsion (une vérité de La Palice, s'il en est une!). D'une part, les révélateurs à grain fin sont très en demande par une multitude de partisans parmi les photographes, pour qui la qualité des résultats prime sur toute autre considération, alors que, d'autre part, la vogue du gros grain semble avoir de plus en plus d'emprise sur la nouvelle génération « pop ».

2) Ceci dit, j'affirme que, quelle que soit la marque de commerce ou quel que soit l'usage auquel on les destine, les révélateurs (pour film ou papier) ont tous un trait en commun: il s'agit des substances de base qui les composent. Elles sont au nombre de quatre, tout aussi essentielles que les quatre roues d'une auto. Ce qui fait généralement la différence entre un révélateur et un autre, ce sont les proportions variables desdites substances.

3) Il s'agit des substances réductrices ou révélatrices, des substances conservatrices, des substances accélératrices et des substances retardatrices. Il faudra dissoudre ces produits dans l'ordre indiqué et successivement. Il convient ici d'examiner chacune de ces substances et de définir leur action propre.

a) *Les substances réductrices ou révélatrices:* l'élon et l'hydroquinone (il en existe bien d'autres) sont généralement utilisés soit séparément, soit mélangés. Ces produits ont pour fonction de transformer ou de réduire en grains d'argent métallique noir les cristaux non impressionnés. Ces corps, dits réducteurs, agissent directement sur les cristaux catalyseurs (image latente) et mettent en marche le processus de développement. On les désigne aussi comme agents développeurs.

b) *Les substances conservatrices:* le préservatif ou conservateur est le produit appelé sulfite de sodium et qu'on ajoute en certaines quantités à la solution du révélateur. Sa principale action est d'empêcher l'oxydation des agents réducteurs au contact de l'air, lors du mélange de cette solution. Le sulfite n'aura donc que peu d'effets sur le développement comme tel, son rôle se limitant surtout à maintenir la « soupe » claire et transparente.

c) *Les substances accélératrices:* l'accélérateur est une substance alcaline; le carbonate de sodium et le borax sont le plus souvent utilisés pour sa composition. La réaction chimique des agents développeurs donnera naissance à un acide nommé bromhydrique qui, très tôt, produirait une réaction inverse s'il n'était pas neutralisé par cet alcali; c'est donc dire que le carbonate de sodium active en quelque sorte l'agent de développement.

d) *Les substances retardatrices:* le retardateur est à base de bromure de potassium. Il a pour unique fonction de freiner ou de retarder l'action de l'agent de développement sur les cristaux non impressionnés, ce qui empêche la formation d'un voile chimique.

Voilà, en bref, la constitution d'un révélateur ordinaire. Connaissant bien les ingrédients, on peut maintenant prévoir les résultats prévus par certaines recettes ou formules.

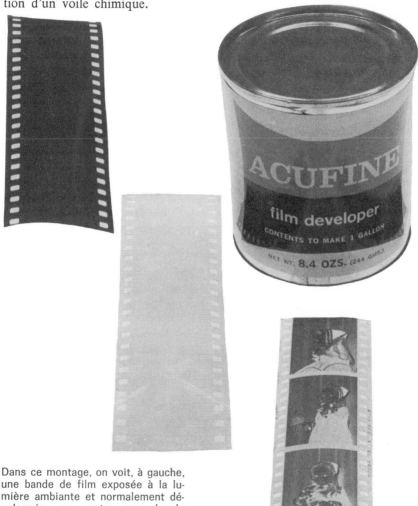

Dans ce montage, on voit, à gauche, une bande de film exposée à la lumière ambiante et normalement développée; au centre, une bande directement «développée» dans le fixateur sans passer par le révélateur; à droite, une bande normalement exposée et développée.

29 Comment peut-on véritablement évaluer chacun des révélateurs à film actuellement offerts sur le marché?

1) A moins d'être un puriste, je ne crois pas qu'il faille connaître à fond toutes les caractéristiques de tous les différents révélateurs pour film et papier offerts aux usagers. Pour ce faire, il faudrait aussi connaître la constitution intrinsèque de toutes les émulsions disponibles de nos jours. En fait, je pense que ce qu'il est important de savoir et de toujours avoir en mémoire, c'est que le type d'émulsion qu'on utilise devrait être traité dans le révélateur qui lui est approprié. Notons ici que les émulsions négatives se classent en deux catégories distinctes. Les émulsions dites normales et universelles à gradations moyennes: l'indice de sensibilité de celles-ci varie de 32 ASA à 400 ASA, et elles peuvent être développées dans des révélateurs qui sont aussi de la catégorie universelle; d'où la possibilité de varier le temps de développement quand on change l'indice de sensibilité, et d'utiliser le révélateur qui, croit-on, nous donnera le grain le plus fin. Les émulsions du deuxième groupe sont de gradation dure et à haut contraste. Celles-ci sont conçues spécialement pour le travail de reproduction (photomécanique), où l'absence de tons continus est nécessaire; ce sont donc des émulsions à haut contraste qui devront être traitées dans un révélateur contrastant du type de ceux qui comportent une forte teneur en hydroquinone.

2) Plusieurs facteurs entrent en ligne de compte lorsqu'on soumet un film au développement, et ces différents facteurs peuvent grandement modifier le résultat escompté s'ils ne sont pas bien compris. Un négatif bien équilibré est un négatif qui a été soumis à toutes les exigences du développement: les ingrédients qui le constituent, la température, la durée du développement, l'agitation prescrite; et n'oublions pas que chacune de ces étapes a une influence directe sur la finesse du grain.

3) Parmi les révélateurs à film les plus populaires (que l'auteur de ces lignes a tous expérimentés, tôt ou tard), on remarque les Microdol-X, version améliorée de l'ancien Microdol; le D-76, un révélateur universel extraordinaire, à mon avis, et pouvant traiter presque tous les films connus; le Diafine qui se présente en deux solutions (A et B) et qui, après une immersion de 3 minutes dans le premier bain contenant les agents développeurs, est transféré dans la solution B, dite accélératrice pour encore 3 minutes: les résultats sont toujours constants, puisque la durée du traitement est rigoureusement invariable et les films doivent être exposés à plus de deux fois leur sensibilité normale; l'Acufine est un révélateur de la même nature et de la même exigence que le Diafine, mais il se présente en une seule solution; le

UFG (Ethol) qui assure une grande finesse de granulation et qui se compare avantageusement au D-76 pour le résultat, mais qui, par contre, tolère mal le développement trop prolongé; le HC-110 de Kodak est un produit hautement concentré qui commande des dilutions de l'ordre de 1 pour 31 (une partie de HC-110 pour 31 volumes d'eau); c'est un révélateur rapide (3 à 4 minutes à 68 degrés F: 20 °C). Celui que je préfère présentement est le Microphène (de Ilford) qui — je n'hésite pas à le dire —, est, à mon avis, le révélateur qui fera sortir toute la vitesse possible cachée à l'intérieur d'une émulsion; il se révèle excellent pour les émulsions survoltées à 1600 ASA. Faites votre choix et ne changez pas de révélateur tant que vous n'aurez pas expérimenté toutes ses possibilités. Beaucoup moins nombreux sont les révélateurs à papier, mais leurs caractéristiques de base sont essentiellement les mêmes que pour les films, et l'analyse de chacun serait trop longue.

Une analyse complète et détaillée de tous les films et de tous les révélateurs sur le marché nécessiterait un ouvrage complet sur le sujet; retenons que les meilleurs résultats sont toujours obtenus en utilisant le révélateur par le fabricant du film.

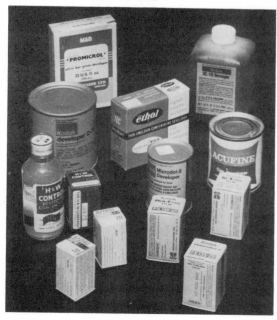

30 Existe-t-il une technique (magique ou pas) pour conserver les solutions chimiques dans mon laboratoire photo, afin de pouvoir exploiter au maximum leur durée?

1) Non, il n'existe pas de formule magique, à ma connaissance. Par contre, je comprends très bien l'exaspération du photographe du dimanche qui n'en finit plus de renouveler ses solutions chimiques, faute de connaître les méthodes permettant de les préserver le plus longtemps possible. Si, bien sûr, un jour, vous avez eu la brillante idée de vous procurer un « deux gallons » (Impérial: 9,160 l; US: 7,680 l) de révélateur — croyant faire une économie du tonnerre — et qu'en réalité, vous n'en utilisez que quelques onces par semaine... je vous comprends très bien.

2) Tout comme les émulsions photographiques, les produits chimiques ont une vie, je dirais même qu'ils respirent; si nous ne créons pas un environnement propice à cette vie, eh bien! ils mourront prématurément! Sachant que les éléments les plus destructeurs pour les produits chimiques — en solution liquide — sont l'AIR principalement et la lumière, à un degré moindre, on en déduit qu'il faut à tout prix éviter de les laisser au contact de l'un ou de l'autre. L'idéal, si c'était toujours possible, serait de ne diluer que le volume nécessaire, à partir de produits en poudre ou en liquide très concentré... et de les jeter après usage.

3) Je pourrais vous dire de n'utiliser que des bouteilles (brun foncé) d'un gallon (Impérial: 4,080 l; US: 3,840 l) ou moins, car elles sont faciles à nettoyer et elles vous permettent de voir le contenu restant, mais je devrais ajouter que, au fur et à mesure que le niveau baisse, l'air, à l'intérieur, détruit inexorablement ce contenu, en plus du risque qu'il y a de les casser au moindre choc. Les bouteilles en plastique translucide sembleraient être la solution idéale (pour nos solutions), mais là encore, elles ont tendance à accumuler un dépôt sur les parois intérieures, ce qui est très difficile à nettoyer. On a pensé résoudre ce problème de l'air en pressant, comme une éponge, ces récipients de plastique pour en extirper l'air et les refermer hermétiquement. Ça va pour un temps, car le polythène, ou le plastique, « respire » et reprend sa forme originale après quelque temps. L'exemple suivant vous permettra de juger de l'importance du contenant: si l'on prend une bouteille remplie au maximum du révélateur universel D-76, le fabricant Kodak vous dira qu'il se conserve durant 6 mois, alors que le révélateur de cette même bouteille à moitié remplie ne vivra que 2 mois... Pire encore, vous l'avez certainement expérimenté, un révélateur partiellement utilisé dans un bassin 11 x 14 [28 x 35,5 cm] sera complètement oxydé au bout de 24 heures.

4) En fonction, évidemment, du volume de travail que vous effec-

Aucun problème de durée pour le fixateur; par contre, on peut utiliser cette forme de pis-aller (voir illustration) pour la conservation, car elle chasse l'air, toujours néfaste.

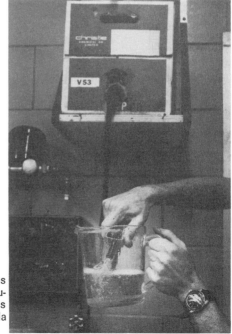

Les problèmes de conservations sont grandement facilités par l'usage de ces cubes de 5 gallons [24 l] de la firme Kodak ou de la firme Christie.

Un gallon de 128 onces [3,84 l]
de révélateur transversé dans
quatre petits contenants de 32
onces [,96 l] triplera la durée de
celui-ci.

tuez, je vous conseille fortement la méthode suivante: diluez un gallon (128 onces: 3,840 l) de révélateur — à film ou à papier — et, immédiatement après, subdivisez-le en 8 petits contenants (verre ou plastique) de 16 onces [0,480 l]. De cette façon, vous êtes assuré d'avoir toujours du révélateur frais qui gardera une qualité constante. Une autre méthode à essayer est de vous procurer ce produit en aérosol du nom de Prolong qui libère une va-peur dite de « Fréons »; plus lour-de que l'air, cette vapeur chasse ce-lui-ci et le remplace par ce produit chimique qui n'affecte en rien la so-lution à préserver. Quant à moi, j'utilise les cubes de la compagnie Christie; ils contiennent 5 gallons (Impérial: 24 l; US: 19,200 l) de révélateur à papier dans un conte-nant de plastique qui rapetisse (ef-fet vacuum) à mesure que le liqui-de diminue.

Hors-texte

31 Pouvez-vous énumérer les désavantages que présentent les papiers photographiques périmés?

1) J'ai déjà traité brièvement de ce sujet dans un précédent ouvrage où il était question de films périmés; permettez-moi d'y revenir quelque peu. Personnellement, je ne laisse jamais passer une occasion d'acheter du papier périmé. Vous seriez surpris de constater que mes « munitions » de chambre noire ne sont pas des plus fraîches ... L'an passé, j'ai même acheté dix boîtes de 100 feuilles de #5 (il est très contrasté quand il est frais) datant de 1970. Après quelques tests, j'ai constaté qu'il était très acceptable. Le problème est d'utiliser 1,000 feuilles de papier #5!!! J'ai dû effectuer quelques modifications au niveau de la prise de vue et organiser mon rapport exposition-développement, de façon à obtenir des clichés plutôt légers, voire ternes, ce qui fut très facile, d'ailleurs. Six mois plus tard, mon stock était épuisé. Depuis, je n'arrive plus à en trouver ...

2) Si je fais un rapide calcul (question de savourer pleinement mon « bargain »), je constate que j'ai payé pour 1,000 feuilles 8 x 10 [20,5 x 25,5 cm] coupées en deux (prix régulier: $110) $45 le tout. Soit 2½ sous la feuille. Personne ne s'est jamais plaint d'une baisse de qualité de mes photos. Heureux d'avoir été ainsi débarrassé, le vendeur m'a assuré que, désormais, il me réservera toute sa marchandise périmée ...

3) Il est bien évident que des occasions pareilles deviennent de plus en plus exceptionnelles. Rares sont maintenant les clients qui commandent des marques de papier un peu exotiques qui risqueraient de traîner sur les tablettes des fournisseurs, au point de devenir, un jour, périmées. Les fournisseurs étant mieux équipés pour conserver les films et les papiers — d'autant plus que les marques populaires ne restent pas longtemps —, ils préféreront perdre une vente plutôt que d'entreposer de la marchandise peu en demande. Plus avisés, ils exigeront de vous un dépôt confortable pour une commande inhabituelle.

4) Je crois cependant qu'il ne faudrait pas exagérer l'importance de ce papier périmé et que, quand un vendeur vous dit que telle boîte de papier est périmée depuis 3 mois, mais qu'il est encore très bon, il a raison. Toutefois, s'il s'agit de plus de 100 feuilles, et que vous ne prévoyez pas les utiliser d'ici 2 ans, il serait préférable de passer au magasin suivant. Si votre budget est à ce point limité, allez-y; achetez-vous papier et film périmés. C'est peut-être la meilleure façon d'apprendre — forcément — quelques-uns des rudiments de la technique de chambre noire. Ainsi, vous verrez qu'avec du papier périmé depuis 2 ans, il arrive parfois — selon qu'il a été ou non bien conservé — qu'il grisonne. Vous noterez

aussi que ce phénomène est visible sur le pourtour de chaque feuille. Le papier vieilli a perdu également beaucoup de sa sensibilité originale, ce qui nécessite de plus longues expositions à l'agrandisseur.

5) Puisqu'il y a un remède à tout, n'hésitez pas à vous procurer la formule antivoile Kodak ANTI-FOG #1, qui est vendue sous forme de poudre ou de tablette et que vous n'avez qu'à ajouter au révélateur pour neutraliser ce grisonnement des bordures du papier. Bref, ne ratez pas cette occasion rare. En cas d'échec, ne jetez le blâme ni sur le vendeur ... ni sur moi.

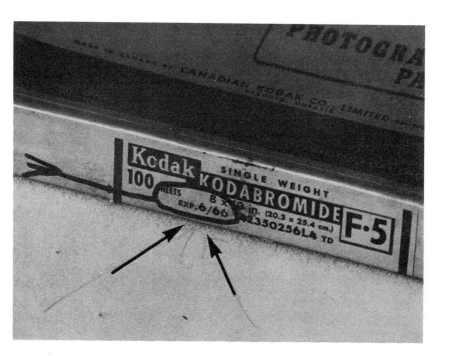

32 Quand et pourquoi doit-on faire usage d'un bain d'arrêt et quelle en est la formule de composition?

1) *Pour le traitement des films,* l'emploi d'un bain d'arrêt a pour but, évidemment, d'arrêter net le processus de développement au moment désiré. Des experts vous diront, par contre, que ce n'est pas absolument nécessaire, vu le court laps de temps que nécessite le rinçage du film entre sa sortie du révélateur et le fixage. Le rinçage, en fait, toujours pour les films, peut fort bien se faire à l'eau courante, puisqu'il s'agit d'une opération très sommaire n'excédant pas 10 à 15 secondes. Plongez le film dans un bocal d'eau ou directement sous le robinet (même température que le révélateur) en agitant vigoureusement; cette opération lavera suffisamment le film de son révélateur, et l'arrêt du développement se fera à l'instant même de son immersion dans le bain de fixage acide. Personnellement, je ne crois pas que ces quelques secondes affectent le temps de développement, sans compter les risques d'avaries à l'émulsion si cette solution de bain d'arrêt est trop forte. On peut toujours sortir les films 15 secondes plus tôt du révélateur.

2) Un révélateur étant par définition une solution alcaline, il est bien évident qu'une solution acide neutralise ce phénomène et évite ainsi d'affaiblir le bain de fixage — de là, l'usage principal d'un bain d'arrêt. Pour ma part, je préfère utiliser, occasionnellement, un bain durcisseur (constitué de 4% d'alun

de chrome) dans lequel je plonge mon film; en plus de durcir l'émulsion — ce qui me préoccupe beaucoup plus que le peu de dommage causé au bain de fixage —, ce bain arrête instantanément le développement. Après cette trempette à l'alun, je procède au fixage et au lavage normaux.

3) Quant aux *épreuves photographiques* tirées de l'agrandisseur, c'est une tout autre affaire. Ici, pas question de rinçage à l'eau claire seulement. L'idée d'un bain d'arrêt pour photos est nécessaire pour deux raisons majeures:

a) étant donné que la surface d'une photo 8 x 10 [20,5 x 25,5 cm] transporte plus de révélateur dans le fixateur — par rapport aux films —, il faut un bain d'arrêt neutralisateur;

b) pour le cas d'un tirage de plusieurs épreuves d'un même cliché et en vue d'uniformiser le temps de fixage de celles-ci, on doit les laisser s'accumuler dans le bain d'arrêt pour ensuite les plonger toutes ensemble dans le fixateur. On doit s'assurer que les épreuves dans ce bain bougent constamment et qu'elles sont face contre face; ainsi, elles glissent les unes sur les autres.

4) Qu'il soit bien compris que le bain d'arrêt ne doit JAMAIS SERVIR à arrêter le développement d'une épreuve... Si celle-ci est correctement *exposée* et *correctement développée*, presque plus rien ne se passe au-delà de 90 secondes — tout au plus 2 minutes — dans le révélateur, si ce n'est un début de grisonnement (dans les zones de blanc) à la suite d'un temps de développement prolongé.

5) Il faut retenir:

a) un bain d'arrêt ne modifie en rien le contraste et la densité d'une épreuve;

b) pour s'assurer qu'un bain d'arrêt est épuisé, le sentir (l'odeur assez forte d'une solution fraîche diminue graduellement);

c) il existe un moyen de tester son acidité avec du *papier indicateur* de Kodak;

d) Kodak vend dans le commerce, un Indicator Stop Bath, liquide jaune qui tourne au violet lorsqu'il s'épuise;

e) oubliez toutes les formules de composition et procurez-vous une bouteille de 16 ou 32 onces d'acide [0,480 l ou 0,960 l] de Glacial Acitic à 95%, et utilisez ce liquide à raison d'un bouchon plein dans 24 onces [0,720 l] d'eau (bon pour une vingtaine de photos 8 x 10 [20,5 x 25,5 cm] ou l'équivalent).

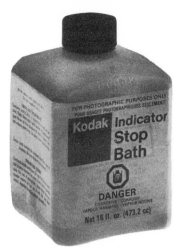

L'Indicator Stop Bath signale son propre degré d'épuisement en changeant de couleur (du jaune au violet).

L'acide acétique glacial (95% pur) constitue le produit chimique de base pour tous les bains d'arrêt. Il suffit, comme le montre la photo ci-bas, d'utiliser la proportion suivante: un bouchon dans 24 [,72 l] ou 32 onces [,96 l] d'eau .... et oublier toutes les autres formules de 28%.

91

33

Le bain de fixage POUR PAPIER peut-il servir aussi pour les FILMS, et quelle est l'importance de cette opération sur la longévité d'une émulsion photographique?

1) Pour bien comprendre l'action du fixateur sur une émulsion photographique, il est bon de rappeler l'action du révélateur, qui est de convertir l'image latente (invisible) en une image négative ou positive visible. Cette action du révélateur réduit les sels d'argent — impressionnés lors de la prise de vue — en argent métallique noir, laissant intacts — et altérables à la lumière — les sels non exposés. C'est ici qu'entre en action le fixateur.

2) Cette solution chimique, dans des volumes déterminés d'hyposulfite de sodium, de sulfite de sodium et de bisulfite de sodium, est ajoutée à de l'eau claire; elle a pour principale fonction d'éliminer tous les sels d'argent non exposés qui restent dans l'émulsion à la suite du développement, en les transformant en sels complexes qui, eux, sont solubles dans l'eau, assurant ainsi la permanence des films et des épreuves. Aux trois constituants ainsi mentionnés, il faut ajouter généralement une certaine quantité d'acide acétique ainsi qu'une solution d'alun de chrome qui en font un fixateur acide dit « tannant » (à effet durcissant), utilisé de préférence pour les films.

3) Comme le démontrent les illustrations ci-contre, j'utilise un fixateur rapide, de marque Christie (fabriqué à Montréal), en forte concentration. Ce « cube » de 5 gallons (US: 19,200 l; Impérial: 24 l) doit être dilué dans un rapport de 1 pour 7 pour les papiers et, environ, de 1 pour 5 pour les films. La compagnie Kodak offre un produit similaire qui a pour nom: Kodak Rapid Fixer et qui se présente sous la forme de deux solutions, A et B; le dosage est de 1 pour 5 pour le film, et de 1 pour 10 pour le papier. A mon avis, ces produits (dans cette présentation) sont la solution pour tous les praticiens ordinaires qui ne sont pas intéressés à diluer eux-mêmes leurs produits chimiques. Ils se conservent très longtemps, et on peut se les procurer très facilement. Je note que, personnellement, j'utilise le même fixateur (1 pour 7) pour les films que pour les épreuves. On peut facilement, dans des conditions normales — c'est-à-dire avec un bain d'arrêt —, fixer une centaine de photos 8 x 10 [20,5 x 25,5 cm] ou l'équivalent en surface dans un gallon (US: 3,840 l; Impérial: 4,080 l) de fixateur.

4) Plusieurs professionnels utilisent deux bains successifs de fixage, assurant ainsi un fixage plus sûr, tel que je l'ai suggéré d'ailleurs pour les épreuves devant être « virées » (Sepia Toner). Cette pratique consiste à remplacer le premier bain (qui s'épuisera avant l'autre) par le deuxième auquel on substitue une solution toute fraîche. Cette rotation peut continuer indéfiniment et on verra qu'elle permet des économies appréciables de fixateur.

5) La compagnie Edwal offre, dans le commerce, un produit qui sert à s'assurer de l'efficacité du fixateur. Il s'agit de Edwal Hypo-Check, une petite bouteille contenant à peine ¾ d'once [0,225 l] d'un produit mystère; on en utilise 2 gouttes dans le bassin de fixage: si le fixateur se transforme en une substance d'apparence laiteuse, il faut le vidanger. Généralement, on se rend compte de l'état de détérioration de la solution de fixage, simplement en la brassant rapidement à l'aide d'une spatule ou de ses doigts; si l'on note la formation de bulles d'air en trop grand nombre, il est alors temps de la remplacer.

Quelques gouttes de ce produit ajoutées au fixateur nous informent instantanément de l'état de détérioration de celui-ci.

Le fixateur rapide, dans cette formule de 5 gallons [24 l], dure presque indéfiniment; il s'agit de le réduire en proportions de 1 pour 5 pour les films et de 1 pour 7 pour les papiers.

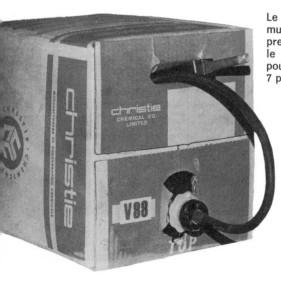

34 Pouvez-vous m'indiquer quels sont les différents types de papier photographique et me donner quelques précisions quant aux différents finis?

1) Une étude un tant soit peu approfondie sur la surabondante variété de papiers fournis par l'industrie dépasserait largement le cadre de cet ouvrage. Il est préférable de donner une brève analyse des trois principales caractéristiques de ces émulsions dites papiers à développer. Ainsi, on peut les définir selon:

A) *leurs types d'émulsion,* parmi lesquels on distingue les émulsions différentes:

a) au bromure d'argent (elles sont très rapides);
b) au chlorobromure d'argent (de rapidité moyenne);
c) au chlorure d'argent (très lentes).

B) *leurs gradations,* définies par doux, normal ou contrasté.

C) *leurs caractéristiques physiques* quant à leur épaisseur, leur surface et leur couleur.

2) On peut donc dire qu'à l'instar des émulsions pour film, la couche sensible des papiers à développement est constituée soit de bromures d'argent ou de chlorure d'argent, soit d'un mélange des deux. Cependant, seules les émulsions à teneur de bromure d'argent peuvent être utilisées pour le tirage par agrandissement. C'est ainsi que les émulsions « bromure » sont de 500 à 800 fois plus lentes que les *pellicules négatives,* mais elles sont aussi une trentaine de fois plus rapides

que les papiers « chlorure ». Ces derniers sont principalement utilisés pour le tirage par contact en raison de leur sensibilité peu élevée. Tenter de les utiliser pour des agrandissements nécessiterait des temps d'exposition terriblement longs.

3) Les papiers à développement « bromure », contrairement aux papiers « chlorure », offrent un choix de gradation beaucoup plus étendu allant du #0 au #6, soit:

0 — très doux, pour une pellicule très dure (ou très contrastée);
1 — doux, pour une pellicule dure;
2 — normal ou moyen, pour une pellicule normale;
3 — dur-vigoureux, pour une pellicule douce (terne);
4 — contrasté-dur, pour une pellicule très douce;
5 — très contrasté, pour une pellicule extra-douce;
6 — extra-dur, pour une pellicule extra-douce.

4) Selon l'utilisation prévue, on choisira un papier épais (double weight) ou mince (single weight). Les papiers minces offrent généralement un fini glacé ou lisse, alors que les plus épais sont de fini mat ou rugueux. On semble noter la présence du grain sur un fini brillant, lequel, par contre, est beaucoup plus atténué sur une surface mate. De plus, le repiquage est plus aisément dissimulable sur une surface rugueuse (voir mode de séchage à la question no 156).

5) Je pense que les débutants en photo auraient intérêt à essayer les papiers à tirage par projection à CONTRASTE VARIABLE — POLYCONTRASTE et autres —, ne serait-ce que pour économiser de l'espace sur les tablettes; ce dernier se présente en une seule gradation dite normale. C'est un papier au bromure à double émulsion, l'une sur l'autre. L'une est très contrastée et sensible uniquement au jaune-vert, l'autre est très douce et sensible au bleu-violet. Il en résulte tout naturellement que la lumière de l'agrandisseur doit être colorée. C'est pourquoi, pour ce faire, on doit utiliser un système de filtre coloré vendu par les différents fabricants de papier à agrandissement. Contrairement à une opinion assez répandue, les éditeurs de journaux acceptent des épreuves tout aussi bien glacées que mates pour fins de reproduction, mais préfèrent les finis glacés parce qu'ils sont plus minces et que, une fois empilés, ils prennent deux fois moins de place!

Un exemple pratique et concret: à gauche, le papier polycontraste et le jeu de filtres; à droite, l'équivalent en papier gradé.

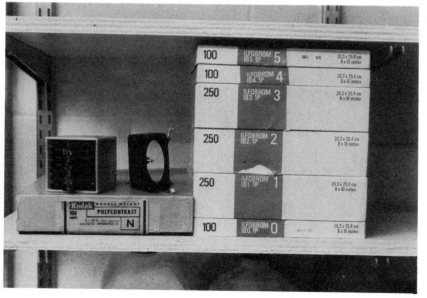

35

Qu'en est-il de ce papier à « noircissement direct » (P.O.P.: printing on paper) ainsi que de celui qu'on utilise pour le procédé de « stabilisation »? Pouvez-vous nous dire quelques mots sur ce nouveau papier « plastique »?

1) Comme le nom l'indique, noircissement direct signifie que ce type d'émulsion n'a à subir ni l'action d'un révélateur, ni celle d'un fixateur, ni celle d'un lavage pour fournir une image. Utilisé généralement dans les studios de portraitistes, il permet d'offrir à la clientèle une ou plusieurs épreuves immédiatement après la séance de photo. Le client peut même les emporter chez lui pour faire une sélection en famille. Il est averti, toutefois, de ne pas exposer ces épreuves au soleil afin de ne pas faire disparaître l'image. De toute façon, l'image disparaîtra peu à peu... et le client devra retourner au studio pour placer, cette fois-ci, une commande « solide ».

2) Peu sensible à la lumière (chlorure d'argent), l'émulsion doit être utilisée par tirage contact et exposée pendant environ 5 minutes à une lumière très intense (soleil, photoflood ou autre); on obtient ainsi une image presque instantanée qui, conservée entre les feuilles d'un livre, connaît une certaine durabilité. Toutefois, le ton de l'image n'est pas très beau à regarder. On se rend compte que les tons sont plus ou moins brun chocolat ou rougeâtres, ce qui donne l'impression d'une épreuve virée au sépia. Malgré tout, on peut assurer une durabilité définitive à l'image en la fixant par le procédé régulier, pourvu qu'on l'ait surexposée sensiblement pour contrecarrer l'effet de blanchiment (bleaching) plus marqué pour ce papier dans le fixateur. Toutes les informations concernant cette émulsion sont incluses dans la boîte qui accompagne le papier.

3) Un autre type d'émulsion dite papier à développement automatique (chlorure ou bromure) serait, à mon avis, une version très améliorée du P.O.P., très moderne en tout cas. De plus en plus, on utilise — même dans les chambres noires modestes — cette nouvelle machine à développement instantané qu'on appelle le procédé par stabilisation. Dans cette émulsion, on incorpore les agents développeurs (hydroquinone ou autres), contrairement aux autres surfaces sensibles. Le papier est ensuite acheminé dans un dispositif contenant une solution alcaline dont l'action conjointe révèle l'image après seulement une douzaine de secondes. Ici encore, ce processus ne donne pas une image complètement fixée, mais qu'on peut utiliser immédiatement pour fins de reproduction dans les journaux. Plus tard, on peut aussi la rendre permanente par le fixage et le lavage conventionnels.

4) Les ingrédients qui entrent dans la fabrication d'une émulsion pho-

tographique sont depuis toujours incorporés dans une substance gélatineuse. Mais voici que, au moment où ces lignes sont écrites, nous parviennent des communiqués annonçant la venue prochaine d'un papier photographique révolutionnaire où ces mêmes constituants seraient incorporés dans une substance dite de polyéthylène. Un papier miracle? me direz-vous. Sûrement, si l'on considère tous les avantages qu'on lui prête. Par exemple, parce qu'il est imbibé de plastique sur les deux surfaces, il retient très peu de révélateur, donc élimine en grande partie le bain d'arrêt. Imaginez: n'avoir à laver vos épreuves qu'une ou deux minutes! ... Il garantit un fini glacé, même séché à l'air libre, en 30 minutes, en plus de permettre un repiquage sans aucun problème. Les distributeurs de ce produit magique affirment qu'il devrait être disponible partout, fin 1973. A suivre ...

36 Qu'en est-il exactement de ce nouveau papier à tirage qu'on appelle RC et qui rend désuètes les sécheuses à plaques chromées?

1) Vous avez bien raison, l'ère des sécheuses, des plaques chromées ferrotypes, est bien révolue; tout au moins pour ce qui intéresse les amateurs moyens qui ne disposent pas d'un budget impressionnant. Précisons d'abord qu'il est utilisé depuis quelque temps par les grands laboratoires commerciaux et que nos amis amateurs d'outre-45e parallèle en jouissent depuis un an environ. On l'aura deviné, il s'agit d'un papier à tirage à base de plastique, RC signifiant Resin Coated, et qui est maintenant disponible sur le marché québécois à la portée des amateurs qui « en crèvent » depuis toujours de pouvoir obtenir pour leurs épreuves, un fini glacé à toute . . . épreuve.

2) A première vue, le RC donne l'apparence du papier conventionnel; mais les résultats, au moment du séchage, sont assez surprenants: on obtient, sans aucune contrainte — sans avoir, par exemple, à se préoccuper de tremper le papier dans un agent mouillant quelconque —, on obtient donc un glacé impeccable et à toute épreuve. A aucun moment, on n'a à s'inquiéter du glaçage. Lorsqu'on utilise sa première feuille (dans la semi-obscurité de la chambre noire), on constate tout de suite qu'il s'agit d'un papier légèrement plus épais que le papier ordinaire et dont la surface de l'émulsion est plus brillante que la normale.

3) Lorsqu'on procède au tirage — par agrandissement — de cette première feuille plastique, on est surpris par sa rapidité (ou sa sensibilité) supérieure, à mon avis, au papier polycontraste ordinaire. Là où, normalement, on aurait dû exposer 8 secondes, 5 secondes suffisent pour obtenir un développement normal.

4) D'après les fabricants, les deux surfaces du papier seraient imbibées d'un produit résine et plastique à base de polyéthylène qui le rendrait imperméable à tout liquide sauf, bien entendu, la très fine couche que constitue la surface sensible. Autrement dit, les sels d'argent ne seraient plus emprisonnés dans une substance de gélatine, mais plutôt dans du polyéthylène, d'où le glaçage instantané. L'action des agents développeurs n'est pas entravée par cette fine couche de plastique. Le papier lui-même ne subit aucune absorption ou rétention de liquide, ce qui, du même coup, réduit considérablement — dans son ensemble — le temps de développement. On peut, par le fait même, utiliser le bain d'arrêt en se contentant d'un rinçage de 5 à 10 secondes pour éliminer toute trace de révélateur sur l'émulsion. Les 15 minutes de fixage habituellement sont réduites aussi à 3 minutes. Quant au lavage, 4 minutes suffisent, moyennant une bonne agitation, pour assurer une longue vie à l'épreuve.

5) Après tous ces préliminaires, on n'a plus qu'à étendre cette épreuve nouveau genre sur un papier journal ou sur un papier buvard, qu'à l'essuyer délicatement avec une peau de chamois ou un linge doux (l'émulsion est plus sensible que celle du papier ordinaire), qu'à l'accrocher pour lui permettre de sécher à l'air libre et, finalement, qu'à attendre tout au plus une vingtaine de minutes pour que le glaçage se fixe et se cristallise. Quant à sa planéité, elle est parfaite.

Papier Dalco à base de plastique qui sèche à l'air libre.

6) Comme on s'y attendait, son prix est sensiblement plus élevé que celui du papier conventionnel, soit $2 ou $3 de plus pour la boîte de 100 feuilles (100 feuilles: $15.12). On peut aussi se procurer, outre la marque Kodak, le papier Dalco, de fabrication hollandaise, dont les caractéristiques sont en tous points identiques, si ce n'est qu'il est disponible en trois grades (doux, moyen et contrasté) et en deux épaisseurs (simple et double); son prix: $4.25 l'enveloppe de 25 feuilles de type glacé, et $1.50 l'enveloppe de 25 feuilles de type mat.

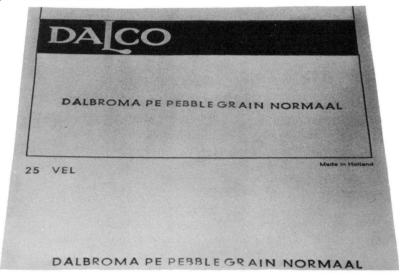

Le premier papier RC à faire son apparition sur le marché.

37 Existe-t-il des solutions toutes préparées servant à « affaiblir » ou à « renforcer » une pellicule ou une épreuve, ou dois-je les préparer moi-même?

1) Je ne vous conseille pas de préparer ces solutions vous-même, car il vous est possible de les acheter n'importe où, en quantité désirée. Puisqu'il est assez rare d'avoir à les utiliser, je ne vois pas *l'amateur moyen* encombrer sa chambre noire de tous ces contenants de produits qui ont bien leur place dans un laboratoire de chimiste. Ceci dit, je précise que, en ce qui a trait à l'affaiblissement d'une pellicule, la façon dont je procède est fort simple. Tout ce que j'ai en fait de produit chimique, c'est un pot de 10 onces [310 g] de ferricyanure de potassium (disponible chez tous les détaillants de produits photographiques) que je mélange dans une proportion de 1 cuillerée à thé pour 8 onces [0,240 l] d'eau. Bien que plusieurs utilisent uniquement cette solution, je préfère y ajouter 2 cuillerées à soupe de mon fixateur à papier. C'est un peu empirique... mais ça marche!

2) Pour préciser davantage cette technique de « réchappage », disons qu'il existe trois types d'affaiblisseur pour réduire la densité (ainsi que le contraste) d'une émulsion sensible:

a) L'affaiblisseur au *ferricyanure de potassium*, qui diminue également la densité de toutes les plages d'une pellicule qui aurait été accidentellement surexposée ou surdéveloppée sans en affecter le contraste. C'est le cas du Farmer's Reducer bien connu.

b) L'affaiblisseur au *permanganate de potassium*, qui réduit dans des proportions égales la densité, mais modifie aussi le contraste proportionnellement au degré d'affaiblissement.

c) L'affaiblisseur au *persulfate d'ammonium*, qui a pour fonction de réduire plus précisément les hautes lumières, sans toutefois nuire aux plages à faible densité. C'est donc un affaiblisseur qui, somme toute, équilibre l'ensemble des densités.

3) Tous ces produits peuvent être utilisés pour réduire ou éliminer complètement le voile chimique général qui imprègne les films et les épreuves après un développement trop prolongé. Avec une technique qu'on acquiert à la pratique et une certaine dextérité, on arrive à réduire très facilement certaines taches. Parfois même, on peut créer des hautes lumières à des endroits précis sur une épreuve, avec un coton imbibé de ferricyanure de potassium; les opérations correctives demandent beaucoup d'attention, car leur contrôle est fort difficile. L'action de blanchiment se poursuivant à un rythme rapide, on risque parfois de voir l'image disparaître en un rien de temps.

4) En photographie, il n'existe aucun moyen de renforcer une pellicule qui aurait été accidentellement sous-exposée. Ce que l'objectif n'a pas impressionné, aucun révélateur ni aucun renforçateur ne pourra le restituer. Seules les pellicules normalement exposées, mais volontairement ou accidentellement sous-exposées, peuvent être « sauvées » (le mot est fort!). Le plus populaire de ces renforçateurs est sans doute le Victor Intensifier que l'on trouve dans le commerce, en formule préparée.

5) Le processus habituel de renforcement consiste grosso modo à « blanchir » la pellicule et à la redévelopper. Est-il besoin d'insister sur le fait que les pellicules doivent être parfaitement lavées, donc nettoyées de toute trace de Foto-Flo, avant d'être affaiblies ou renforcées, pour ainsi permettre une action chimique uniforme?

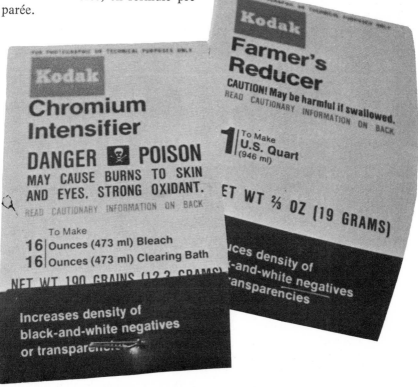

a) et b) Voici les deux sachets les plus en demande pour renforcer ou affaiblir les pellicules. Toutes les instructions quant à l'usage sont données à l'intérieur.

Hors-texte.

CHAPITRE 4

principe du tirage positif

38 Est-il possible d'illustrer visuellement les erreurs qui surviennent lors de l'exposition et du développement?

En déposant les cinq différentes bandes de film ci-contre sur une visionneuse, on constate qu'elles sont toutes différentes et, à l'exception de la bande no 3, elles sont toutes le résultat soit d'une mauvaise exposition, soit d'un mauvais temps de développement, soit d'un mélange des deux. C'est ainsi que:

le **no 1** est, de toute évidence, *sous-exposé* et normalement développé; il est à peu près impossible de tirer quoi que ce soit de ce film;

le **no 2** est *sur-exposé* d'un ou deux crans et développé normalement; pour rétablir son juste équilibre dans le contraste, on devrait l'imprimer sur du papier #3, 4 ou 5;

le **no 3** est un exemple type d'un négatif normal dont l'exposition et le développement sont conformes aux normes du fabricant; il sera donc imprimé sur du #2;

le **no 4** fut aussi *sur-exposé* au flash en extension (absence de mur réfléchissant) et légèrement sur-développé. Résultat: un négatif dur devant être imprimé sur du papier doux, le #0 ou le #1;

le **no 5** a été *sur-exposé* de trois crans et sur-développé. Résultat: un film terne et très dense, totalement « bloqué ». Il est quand même possible de l'imprimer sur du papier très contrasté, soit le #5 ou 6.

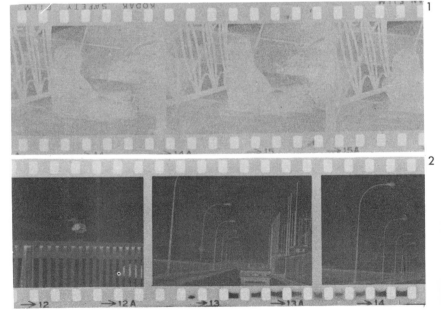

3

4

5

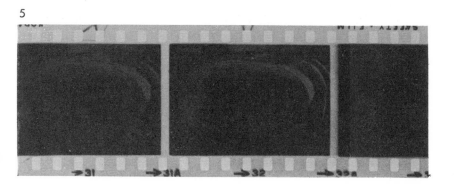

39 On m'a dit qu'il fallait utiliser les filtres à contraste que l'on introduit dans la boîte à lumière de l'agrandisseur, de préférence à ceux que l'on place sous l'objectif. Est-ce exact?

1) Il existe deux types de filtre pour l'agrandissement avec les papiers à contraste variable: les filtres de gélatine et les filtres d'acétate. Les premiers sont placés *sous* l'objectif de l'agrandisseur, les seconds dans un tiroir à filtre (lorsqu'il existe), logé dans la boîte de lumière *au-dessus* du négatif. Bien entendu, si l'agrandisseur ne comporte pas un tel accessoire, il n'y a pas d'autre choix, pour les raisons qui suivent, que d'utiliser les filtres de gélatine, les filtres d'acétate ne devant *jamais* être utilisés sous l'objectif.

2) Aussitôt que les rayons lumineux ont traversé le négatif, ils transportent avec eux *l'information* relative à chaque point du négatif et qui sera transmise à la feuille de papier photographique. Le rayon qui passe à travers une zone très transparente du négatif, en ressortira avec une faible perte d'énergie, provoquant un fort noircissement sur l'émulsion du papier, alors que celui qui traverse une surface très dense du négatif subira une forte absorption et n'agira donc que faiblement sur le papier, donnant naissance à une tonalité pâle de l'image.

3) L'objectif de l'agrandisseur a pour but de faire converger sur la surface du papier les rayons lumineux issus de chacun des points du négatif, donnant ainsi une image

nette et agrandie. Il est donc très important de ne placer sur le passage des rayons lumineux porteurs de l'image, que des filtres exempts de défauts optiques et donc incapables de déformer ou de dégrader cette image.

4) C'est le cas des filtres de gélatine dont la fabrication est faite, sur le plan optique, selon des normes rigoureuses. En raison de leurs qualités et aussi de leur fragilité, ces filtres doivent être manipulés et entreposés avec soin, de façon à éviter toute marque de doigt ou toute particule de poussière qui dégraderait la qualité de l'agrandissement.

5) A l'opposé, les filtres d'acétate sont placés entre le négatif et la source lumineuse et colorent la lumière *avant* qu'elle n'atteigne le négatif, donc avant que les rayons lumineux ne soient porteurs de l'image. En conséquence, leurs qualités optiques ne sont pas aussi importantes que celles des filtres de gélatine. Leur manipulation ne requiert pas les mêmes soins et les photos ne se ressentent pas des égratignures ou des poussières qu'ils peuvent porter.

6) De plus, leur prix est bien moindre: le jeu complet de 7 filtres Polycontrast (1 à 4 avec les demi-intervalles) vaut environ 24 dollars, alors que le même jeu en acétate coûte à peu près la moitié. La dimension minimum dans laquelle ces

derniers sont disponibles est de 5"
x 5" [12,5 x 12,5 cm]: l'utilisateur n'a qu'à les couper selon les dimensions du tiroir à filtre de son agrandisseur.

7) Enfin, un dernier avantage, et non des moindres, réside dans la possibilité qu'ils offrent d'utiliser la technique d'exposition multiple. Il arrive qu'un négatif ne soit pas homogène au point de vue contraste: on donne une première exposition générale avec le filtre #4 (par exemple), puis une deuxième exposition localisée avec un autre filtre, le #2. Cette technique n'est possible qu'avec les filtres d'acétate, car avec les filtres placés sous l'objectif, on aboutit la plupart du temps à une double image.

8) Donc, si vous projetez d'acheter un agrandisseur, l'acquisition d'un modèle avec un tiroir à filtre est fortement recommandée.

(Roland Weber)

1) Cette pellicule à haut contraste, mise au point par la compagnie Agfa-Gevaert, est utilisée principalement dans le domaine scientifique où elle simplifie certaines méthodes de mesures (astronomie, techniques d'éclairage, etc...). Mais les images qu'elle permet d'obtenir présentent un grand intérêt et un grand impact visuel.

2) Sa sphère d'application est celle des équidensités, décrites précédemment. On peut sur cette pellicule obtenir une équidensité directement et sans aucune manipulation particulière, autre que l'emploi d'un révélateur approprié, et ce à partir d'un négatif noir et blanc ou couleur, ou encore à partir d'une diapositive couleur.

3) Les particularités d'emploi sont peu nombreuses mais peuvent être exploitées pour obtenir des effets très variés:

a) La largeur de la ligne d'équidensité est contrôlée par l'emploi d'un filtre jaune, celle-ci étant d'autant plus fine que le filtre est plus sélectif.

b) La durée de l'exposition modifie la position de l'équidensité changeant ainsi considérablement l'apparence de l'image.

c) L'épaisseur de la ligne d'équidensité obtenue à la première génération peut être modifiée légèrement par copie sur une émulsion à haut contraste de type conventionnel.

d) Une équidensité de première génération donnera une équidensité *double* si on en fait un contact sur un autre film Agfa-Contour.

e) De la même façon, chaque ligne de l'image précédente donnera naissance à une double ligne si celle-ci est à nouveau tirée sur une pellicule Agfa-Contour. A ce stade toutefois, le réseau de ligne est si fin qu'il n'est perceptible qu'une fois agrandi fortement.

f) En prenant trois équidensités de première génération mais dont les expositions ont été très différentes et en les tirant par contacts successifs et en repérage sur la même feuille d'Agfa-Contour, on obtiendra un réseau complexe d'équidensités de deuxième génération.

4) Il est difficile, dans les limites physiques de cette page, d'expliquer les multiples possibilités de cette pellicule, notamment dans ces applications couleurs. Malheureusement, en contrepartie de ces avantages, se dresse le prix très élevé de cette pellicule, au point que l'approche expliquée dans la question sur l'isohélie est encore moins onéreuse, en dépit du plus grand nombre de négatifs et positifs utilisés.

(Roland Weber)

Equidensité, première génération
(sans filtre jaune).
Equidensité, deuxième génération (filtre cc. 0.50 jaune).

41 Comment expliquez-vous que les filtres à contraste puissent modifier le contraste de l'image, alors que le papier est toujours le même?

1) Le contraste d'une émulsion, fixé au moment de la fabrication, dépend du *rapport* de grosseur entre les cristaux d'halogénure d'argent qui la constituent. Si ces cristaux ont sensiblement la même dimension, l'émulsion est contrastée. Le contraste sera plus doux dans le cas inverse.

2) Les émulsions sur papier conventionnel sont composées de cristaux dont la grosseur est dans un rapport fixé pour chaque gradation, ce qui fait que chacune d'elles ne peut donner qu'un seul degré de contraste allant de l'extra-doux (gradation 0) à l'extra-dur (gradation 6). De plus, ces cristaux ne sont sensibles qu'à la lumière de couleur bleue. C'est pourquoi on peut éclairer le laboratoire avec de la lumière jaune (filtre 0A) ou rouge clair (filtre A).

3) Par contre, les papiers à multicontraste ont une émulsion dans laquelle on retrouve des cristaux susceptibles de donner un fort contraste et des cristaux engendrant un contraste doux. L'originalité de cette invention réside dans le fait que les deux types de cristaux n'ont pas la même *sensibilité chromatique*. Les premiers ont été sensibilisés à la lumière pourpre foncé et ne réagissent donc pas à l'action d'une lumière jaune. A l'inverse, les cristaux donnant un contraste doux ne sont sensibles qu'à la lumière jaune.

4) Si donc on colore avec un filtre la lumière provenant de l'agrandisseur avant qu'elle ne touche le papier sensible, celle-ci n'aura d'action que sur les cristaux sensibles à sa propre couleur. C'est ainsi que pour le système Polycontrast, le filtre jaune #1 n'agit que sur l'émulsion douce, alors que le #4 n'a *d'effet* que sur l'émulsion dure. Pour rendre le système plus souple et plus nuancé, des filtres intermédiaires ont été créés qui transmettent, de façon contrôlée et dans un rapport variable, les deux couleurs agissant sur les deux émulsions. Les filtres #1½ et #2 agissent davantage sur l'émulsion douce, tandis que l'émulsion dure est particulièrement affectée par les filtres #3 et #3½.

5) Le photographe a ainsi entre ses mains un instrument pratique et facile à utiliser qui lui permet de moduler efficacement le contraste de ses photographies.

(Roland Weber)

Photo hors-texte, R.W.

42 Peut-on modifier le contraste d'un agrandissement en changeant l'ouverture du diaphragme de l'agrandisseur ou le temps de pose?

1) C'est une croyance qui ne repose sur rien, si ce n'est sur des apparences ou sur une notion du contraste qui n'est pas très claire.

2) Supposons, c o m m e premier exemple, qu'un agrandissement soit réalisé à la plus grande ouverture, mais que la mise au point ne soit pas tout à fait parfaite. Un deuxième tirage à plus petite ouverture améliorera la *netteté* de l'image, amélioration qui pourra être ressentie visuellement comme une augmentation du contraste, ce qui est une interprétation fausse.

3) Le contraste est le rapport de densité qui existe entre chacune des valeurs de gris de l'image ou, d'une façon simplifiée, entre les tonalités les plus pâles et les tonalités les plus foncées. Plus différenciés seront les blancs et les noirs, plus grand sera le contraste. Or, le changement de l'ouverture de l'objectif de l'agrandisseur ne modifie en rien ce rapport, et donc n'a aucun effet sur le contraste.

4) Comme deuxième exemple, considérons un agrandissement sous-exposé. Les blancs sont « lavés » et manquent de détails, alors que les noirs de l'image sont plutôt grisâtres et « manquent de corps ». Si l'on augmente l'exposition, la texture des blancs sera améliorée et la densité des noirs s'accentuera, ce qui entraînera un accroissement apparent du contraste. Mais ce gain de contraste entre les deux épreuves n'est que la conséquence de la sous-exposition initiale de la première photo et n'a aucune relation avec le contraste réel. La durée de l'exposition n'a, en fait, aucune influence sur le *contraste*.

5) Ce qu'il est important de saisir, c'est que le contraste d'une photo ne devrait être évalué qu'une fois la bonne exposition trouvée, c'est-à-dire lorsque *les blancs sont texturés de façon adéquate*. Seulement, alors les noirs sont-ils considérés: si ceux-ci sont grisâtres, le contraste est trop faible; au contraire, s'ils sont bouchés, le contraste est trop fort. Dans le premier cas, on prend un filtre ou un papier de gradation plus élevée. Ce sera l'inverse dans le deuxième cas.

6) En résumé, l'exposition (ouverture — temps de pose) contrôle les blancs, et le choix du filtre (ou du papier) contrôle les noirs.

(Roland Weber)

Photo hors-texte, R.W.

1) Dans la question traitant de l'exposition, nous avons vu qu'avant de pouvoir évaluer le contraste d'une photo, il fallait obtenir une épreuve *correctement exposée,* c'est-à-dire dans laquelle les blancs sont *bien texturés.*

2) On analyse alors les noirs pour juger s'ils sont *suffisamment foncés,* tout en étant bien « *ouverts*», c'est-à-dire si les détails importants contenus dans le négatif sont encore visibles sur l'épreuve. Si les noirs sont bien détaillés, mais manquent de densité, le contraste est trop faible. S'ils sont suffisamment denses, mais « bouchés », le contraste est trop fort.

3) Un négatif ne peut pas être tiré indifféremment sur n'importe quelle gradation de papier (ou avec n'importe quel filtre). Un négatif « doux » est caractérisé par un *nombre restreint* de densités voisines. Il doit être tiré sur un papier de gradation dure (ou un filtre #3 ou #4). Au contraire, un négatif « dur » comporte un *grand nombre* de densités *fortement différenciées* et donnera un meilleur résultat s'il est tiré sur un papier de gradation douce (ou avec un filtre #0 ou #1).

(Roland Weber)

Photo hors-texte R.W. d'après une diapositive.

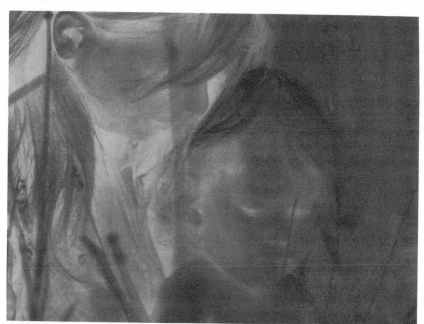

Négatif doux.

Négatif dur

115

44 Les papiers à gradations différentes donnent-ils de meilleurs résultats que les papiers à multicontraste?

1) A partir du moment où vous avez décidé d'agrandir vos négatifs, vous devez choisir entre deux méthodes: travailler avec du papier à gradations différentes (Ilfobrom, Brovira, Kodabromide), ou avec du papier à contraste variable (Gevabrom, Polycontrast, Varilour). Dans le premier groupe le contraste est modifié en changeant la gradation du papier (#0 à 6). Dans le deuxième, on se sert du *même papier,* le contraste étant modifié par l'utilisation de *filtres* de couleurs différentes, placés sous l'objectif de l'agrandisseur (#1 à 4).

2) La qualité des tirages réalisés par l'une ou l'autre méthode est identique. Toutefois, les deux approches présentent chacune des avantages et des inconvénients.

3) Les papiers à gradations différentes, pour leur part, présentent l'avantage d'être manufacturés dans un grand nombre de contrastes (6 pour le Brovira), ce qui permet d'accommoder pratiquement tous les types de négatif, du plus doux au plus contrasté. En contre-partie, ceci implique l'achat de 6 boîtes de papier si l'on veut faire face à toutes les éventualités. Mais il arrive qu'une ou deux gradations soient moins utilisées que les autres. Or, les émulsions papiers, tout comme les pellicules négatives, ne sont garanties par les fabricants que si elles sont utilisées avant une certaine date. Cette date passée, les caracté-

ristiques de contraste se modifient, et cela, d'autant plus vite que le papier a été entreposé dans des conditions de chaleur et d'humidité défavorables. Il peut donc s'ensuivre une perte de papier.

4) Par contre, les papiers à contraste variable suppriment cette nécessité d'avoir sous la main un grand nombre de papiers différents, puisqu'on se sert de la même boîte. Leur désavantage réside dans le fait que la gamme de contrastes qu'ils permettent d'obtenir, est plus restreinte: 4 ou 5 au maximum. Souvent même, le contraste obtenu avec le filtre #4 est inférieur à celui que donne un papier de gradation équivalente.

5) De plus, les filtres de gélatine que l'on utilise sous l'objectif, sont fragiles et doivent être manipulés et rangés avec précaution; les marques de doigt, les poussières ou les égratignures qu'ils peuvent accumuler accidentellement provoquent une dégradation de la qualité du résultat.

6) On peut, dans certains cas, remédier à cet inconvénient: si l'agrandisseur comporte un tiroir à filtre, l'utilisation de filtres en acétate règle ce problème (voir question no 39 sur ce sujet).

7) Par contre, entre les mains d'un laborentin expérimenté, ils permettent, contrairement aux papiers classiques, l'emploi de techniques sophistiquées. Puisque c'est la couleur du filtre qui détermine le contraste de l'image, on peut, *sur la même feuille de papier,* moduler le contraste selon les besoins du négatif. Telle partie du négatif qui manque de contraste sera tirée avec un filtre #4. Tandis que le reste, qui possède un contraste plus élevé, sera tiré avec un filtre #2 ou ou #1.

8) Comment trancher alors la question? Je sugère de tirer parti des deux systèmes en utilisant les papiers à contraste variable pour les gradations allant jusqu'à 4 et le papier de gradation #6 ou #5 pour les négatifs dont on veut obtenir le maximum de contraste, ou dont on veut tirer un effet graphique particulier.

(Roland Weber)

Photo hors-texte, R.W.

45 Peut-on changer le contraste d'un agrandissement en changeant le type de révélateur?

Lorsque l'on se souvient de tous les paramètres qui ont une influence sur le contraste final d'un négatif et que l'on essaie de les adapter aux émulsions papier, on est surpris de constater que celles-ci se comportent de façon fort différente. Température, rythme d'agitation, durée de développement sont pratiquement sans effet sur le contraste qui semble être une caractéristique inaltérable.

En effet, dans les émulsions papier, la variation du contraste est obtenue essentiellement par le passage d'une gradation de papier à une autre gradation, ou par le changement de la couleur du filtre, pour les papiers à contraste variable. C'est, en fin de compte, le seul moyen de contrôle important sur le contraste de l'image finale.

On a beaucoup parlé de variations de contraste obtenues avec des révélateurs spéciaux, notamment la formule du Dr R. Beers. Qu'en est-il exactement? Le révélateur Beers est composé en réalité de deux types de révélateur: le révélateur « A », à base d'Elon (ou de Metol) (1), qui donne un contraste doux et le révélateur « B », à base d'hydroquinone, agent développateur provoquant un contraste vigoureux. Par des mélanges en proportions variées, le Dr Beers propose sept possibilités de contraste.

Mes essais ont porté sur trois types de papier: le Polycontraste R-C (à enduction de résine), le Brovira et le Dalbroma R-C, (également à enduction de résine). De plus je n'ai testé que les concentrations extrêmes des révélateurs, soit le #1 (extra-doux) et le #7 (extra-dur). J'ai d'abord réalisé une épreuve satisfaisante sur chacun des trois types de papier, développé dans un révélateur standard. Puis d'autres épreuves ont ensuite été développées dans les formules Beers #1 et #7. Quelques légères modifications ont été apportées aux expositions afin d'obtenir la même tonalité dans les blancs, ce qui permet une évaluation plus précise du contraste.

Des résultats probants ont été obtenus avec le révélateur doux #1 qui a abaissé le contraste de l'équivalent d'une gradation pour les papiers Polycontraste et Brovira. La diminution du contraste a été encore plus forte avec le papier Dalbroma. Par contre, les essais avec le mélange #7 ont été décevants et aucune augmentation du contraste n'a été obtenue. Il serait toutefois dangereux d'étendre cette conclusion à toutes les variétés de papier existantes car il semblerait que d'autres photographes aient obtenu des résultats satisfaisants avec des marques de papier différentes. Mais

---

(1) L'Elon et le Metol sont deux marques de commerce qui désignent un même agent développateur.

j'ai voulu m'en tenir à des variétés très utilisées, à l'exception du Dalbroma qui est encore peu connu ici en dépit de ses excellentes qualités; tout indique que les effets de ce genre de révélateur sont très limités.

Je signale, en terminant, que le révélateur « Selectol Soft » donne lui aussi un abaissement du contraste équivalent à celui de la formule Beers #1.

(Roland Weber)

CHAPITRE 5

tirage conventionnel

46 Quelles sont les principales étapes à suivre pour procéder au développement d'une pellicule sans anicroche?

Tout photographe qui développe lui-même ses films et imprime ses photos, finit par « développer » certaines manies ou façons de procéder qui lui sont propres. Les explications qui suivent vous permettront de voir comment «je» procède pour développer un film. Elles sont décrites en 12 points qui constituent un ordre chronologique et vous verrez que ce n'est pas très malin si vous avez une chambre noire raisonnablement équipée. Il serait peut-être bon de se référer à la question no 27 (32-33) qui traite du matériel nécessaire. J'ai choisi un film Kodak TRI-X exposé à un indice de sensibilité de 650 ASA. Mon révélateur sera une solution de D-76 non dilué (Kodak) et j'utiliserai une cuve en acier inoxydable pouvant contenir 4 roulettes en spirale Nikkor.

1) Je n'ai pas à vérifier la température du révélateur qui, en toute logique, devrait être la même que celle de la chambre noire, soit 70 degrés F [21.1 °C].

2) Je fais l'obscurité complète, j'ouvre la cassette de mon film 35 mm [24 x 36] et je procède à l'enroulement, qui est complété en 15 à 20 secondes (voir photo ci-contre).

3) Juste avant de plonger le film dans le révélateur, je règle la minuterie pour 5 minutes, le cadran étant visible même dans l'obscurité.

4) Au moment même de l'immersion, j'agite vigoureusement — de haut en bas — et en tournant de gauche à droite la tige qui supporte le film. Pour éviter la formation de petites bulles d'air à la surface du film, je n'hésite pas à frapper le fond de la cuve à plusieurs reprises contre le fond du bac. Ce premier temps d'agitation dure de 15 à 20 secondes. Le couvercle est mis sur la cuve.

5) Afin d'obtenir un développement plus uniforme, le reste de cette opération se fera sans rouvrir la cuve, donc à la lumière. Toutes les minutes, je couche la cuve à l'horizontale et je la roule (comme un baril) dans un mouvement d'aller-retour qui, chaque fois, dure 15 secondes.

6) A 3 minutes, je fais l'obscurité (qui demeurera jusqu'après le fixage), question d'habituer mes yeux à celle-ci.

7) Lorsque la minuterie m'indique 4 minutes, j'allume la lampe inactinique verte qui est suspendue à 4 pieds [1,20 m] de la cuve à développement. Couvercle enlevé, je retire le film que j'égoutte quelques secondes, m'en saisis et fais une volte-face, tournant ainsi le dos à la lumière; le temps d'en dérouler environ 1 pied [30 cm], et mes yeux, maintenant habitués à l'obscurité, voient le film pendant à peine 5 secondes, juste le temps d'en

Le chargement de la spirale, quoique difficile au début, devient routinier après quelques heures de pratique.

L'agitation se fait comme s'il s'agissait d'un baril flottant. L'opération est répétée toutes les 30 secondes.

c)

d) Plutôt que d'utiliser la cuve en acier inoxydable, je préfère faire des trous dans un vieux contenant en plastique (15 minutes de lavage).

évaluer la densité générale. Cette étape n'est pas nécessaire, mais, que voulez-vous, c'est une mauvaise habitude dont je ne peux me débarrasser.

8) Cette constatation faite, je sais que tout va bien et je referme le couvercle jusqu'au signal de la minuterie qui m'invite à sortir mon film, à l'égoutter quelques secondes et à le RINCER seulement 15 à 20 secondes dans une cuve d'eau claire.

9) Immersion immédiate dans le fixateur pour 3 minutes, avant d'allumer la lumière. Inspection rapide, agitation constante, le fixage est terminé après 5 minutes.

10) Lavage à l'eau courante à 70 degrés F [21.1 °C] pour 30 minutes (voir questions no 18-159, sur le lavage).

11) Courte trempette dans une solution de Foto-Flo (2 gouttes dans 10 onces d'eau: 0,30 l), 30 secondes avec agitation constante.

12) Accrochage, parfois, à l'air libre (de préférence à l'air chaud), sans essuyage aucun, après quoi le film sera coupé en bandes de 6 clichés. Dernière opération: inspection en détail.

Hors-texte (Mahalia Jackson, de re-
grettée mémoire).

47 Comment devrais-je procéder pour développer un film sans chambre noire?

A la faveur de la nuit, il vous sera très facile d'utiliser la salle de bain, pourvu que vous arriviez à y faire l'obscurité complète. Cette obscurité complète n'est essentielle que pour le chargement de la spirale (bien consulter la question no 46). Voici les étapes chronologiques à suivre:

1) le film est enroulé sur une spirale Paterson à l'obscurité totale;

2) l'ensemble est ensuite déposé dans la cuve, le couvercle mis en place et la lumière blanche est allumée;

3) la cuve est remplie de révélateur (à 70 degrés): le développement durera 5 minutes, montre en main;

4) vous pouvez agiter pendant 15 secondes deux fois par minute en tournant la tige qui supporte la spirale (de gauche à droite et vice versa);

5) ou vous pouvez agiter en faisant subir à la cuve un mouvement giratoire pendant 10 secondes, deux fois par minute;

6) après cinq minutes, déverser le révélateur dans son contenant original, car il peut être réutilisé plus tard;

7) rincez tout en emplissant et en brassant la cuve d'eau pendant deux minutes;

8) déversez l'eau;

9) remplissez la cuve de fixateur en réglant votre montre pour 3 minutes. Agitez au début, au milieu et à la fin. Déversez le fixateur dans son contenant original;

10) enlevez le couvercle et (la lumière allumée) lavez de 10 à 15 minutes à l'eau courante;

11) après le lavage, la spirale trempe dans la cuve pleine d'eau. Vous y déposez deux gouttes de Foto-Flo et vous agitez légèrement pendant deux minutes;

12) laissez égoutter et inspectez la pellicule;

13) sous toutes réserves, essuyez délicatement les deux côtés du film avec une peau de chamois (opération non nécessaire s'il n'y a pas d'urgence);

14) suspendez le film qui devrait être sec en une heure.

48 Existe-t-il un moyen un tant soit peu efficace pour éviter la poussière sur les films, autre que tous ces produits antipoussière ou antistatique qui, de toute façon, ne règlent pas le problème de manière permanente?

1) A ma connaissance, il n'existe pas encore de solution magique pouvant mettre fin à ce cauchemar qui irrite non seulement les amateurs sérieux, mais aussi tous les professionnels. Après 25 années de pratique dans ce métier de photographe, je peux me vanter d'avoir tout essayé. Jusqu'à ce jour, rien ne m'a satisfait pleinement, si ce n'est la méthode la plus simple (et qui ne coûte absolument rien) que je pratique tous les jours: je garde mes mains absolument PROPRES et je me sers de mon pouce et de mon index pour frotter la pellicule dans un mouvement ininterrompu; je vous assure qu'aucun dommage n'est fait à l'émulsion. Très farfelu, ce conseil, direz-vous? D'autant plus qu'on met les amateurs en garde avec insistance contre les empreintes digitales résultant d'une mauvaise manipulation des films! Tenez-les par la bordure, nous dit-on! J'en conviens, mais, justement, tout le truc réside dans la façon de frotter le film. Il ne faut donc jamais arrêter le mouvement des doigts, ce qui évite de laisser une empreinte.

2) En deux ou trois mouvements, j'arrive à nettoyer complètement les deux surfaces du film à la fois des poussières et des dépôts graisseux (résidu du Foto-Flo) qui auraient pu s'y accumuler. Le geste suivant consiste à placer le film *sous l'objectif* de l'agrandisseur allumé, le diaphragme étant grand ouvert. A ce stade, le film est placé à la verticale, ce qui permet au faisceau de lumière d'en balayer — en rase-mottes — les deux surfaces, découvrant ainsi la moindre petite poussière aux yeux de l'opérateur. Il faut faire vite, car ce frottement provoque parfois de l'électricité statique qui attire encore plus de poussière.

3) En dehors de cette méthode empirique (mais ô combien efficace!), la formule — à mon avis — la plus efficace est d'utiliser un « agent mouillant » de même nature que le Foto-Flo, *mais antistatique,* juste avant le séchage. Le produit Ecco #121 concentré en est un.

4) A mon avis, tous les produits dits « Anti-Static Film Cleaner » sont excellents et devraient être un premier choix, *avant toutes* ces brosses antistatique qui, en fait, produisent de l'électricité statique et attirent encore plus de poussière qu'elles n'en enlèvent! Les cotons antistatiques seraient un deuxième choix, valable, certes, encore qu'il y ait ici aussi frottement.

5) Tout ce qui précède a trait au traitement antipoussière. Lorsqu'il s'agit de nettoyer une pellicule terriblement sale et égratignée, on fera appel à un autre produit que l'on nomme Edwal No-Scratch. En en déposant à peine une larme sur le

côté de l'émulsion, on frottera assez vigoureusement dans toutes les directions avec un petit morceau de coton absorbant. L'opération sera répétée pour l'autre côté. Le film étant libéré de ses saletés et égratignures, il ne restera plus qu'à le nettoyer de ses poussières selon les méthodes décrites ci-haut.

6) En dernier ressort, faites comme moi (et bien d'autres): branchez un fil électrique de l'agrandisseur à un tuyau de l'aqueduc. Cette prise de terre, dit-on, attire l'électricité statique ... mais je n'ai jamais pu prouver comment. Et la bataille contre la poussière continue!

1) En frottant délicatement le film entre le pouce et l'index, on arrive à éliminer toutes les poussières.

2) Avec ce produit antistatique, il suffit d'essuyer les deux côtés du film avec un coton qui en est imbibé.

3) Le No-Scratch s'emploie uniquement pour nettoyer les films sales et égratignés (il n'a rien d'antistatique).

4) Mieux que n'importe quelle brosse antistatique, ce coton — antistatique — se révèle très efficace.

5) Quant à moi ...

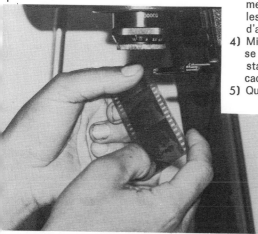

1

2

3

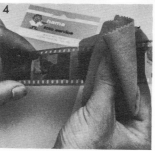

4

5

49 Pouvez-vous me donner quelques conseils pratiques propres à sauver une pellicule désespérément faible?

1) Il est bien évident qu'un négatif qui n'est pas normalement exposé et développé, sera *toujours un mauvais négatif* qui nuira d'ailleurs à la qualité du tirage. Cependant, un peu d'expérience et surtout la mise en pratique d'une manière rationnelle des techniques correctives (il y en a plusieurs) qui nous sont offertes, permettent de «réchapper» une pellicule trop faible et de s'en sortir honorablement. Avant d'aller plus loin, je tiens à préciser que la photographie n'est pas une science occulte et qu'il n'y a pas de miracle à espérer; seuls l'habileté, la compétence et de bons outils permettront à l'artisan d'aller chercher tout ce qu'il y a de bon dans un négatif.

2) Prenons une pellicule très faible qui aurait été involontairement sous-exposée. La première tentative de correction serait de procéder au tirage sur un papier *dur* de marque Agfa Brovira (du #3 ou #4 et, si ce n'est pas suffisant, du #5 ou #6), lequel est excellent pour des bévues de cette nature. D'autre part, si l'on dénote un peu de détails dans les plages les plus claires du négatif, on peut renforcer celui-ci avec une solution de Victor Intensifier ou de Gaf Copper Intensifier. Ainsi, on augmentera sensiblement sa densité (voir question no 37). Inutile d'espérer voir apparaître des détails là où il n'y en a pas (à moins que vous ne soyez un optimiste incurable). Le mode d'emploi de ces produits doit être observé religieusement. Déjà, cette opération corrective devrait permettre le tirage d'une épreuve assez près de la normale.

3) Comme l'agrandisseur à condensateur projette un faisceau de lumière plus *contrastée* qu'un agrandisseur diffuseur, on pourrait gagner presque une gradation de contraste en utilisant un tel agrandisseur, et du même coup, une émulsion Brovira #6 deviendrait une #7 . . .

4) Une autre méthode permet d'augmenter le contraste d'une épreuve: l'utilisation d'une lampe d'agrandissement qui soit la plus faible possible (une 40 watts serait l'idéal), car vous savez que la luminance d'une lampe #212 (150 watts) est très élevée, presque bleu-blanc, alors que celle d'une 40 watts est plutôt jaune orange . . . et que, théoriquement, cette couleur jaune devrait, à l'instar d'un filtre jaune pour la prise de vue, augmenter un peu le contraste.

5) Le tirage d'une pellicule *faible* devra être conduit avec beaucoup de précaution. Le peu de densité d'une telle pellicule risque de laisser voir un tas de poussières et d'égratignures, un peu comme pour une vitre. Donc, un nettoyage en règle s'impose, si l'on ne veut pas

Ecart d'exposition de F/22 à F/8, en passant par les ½ crans.

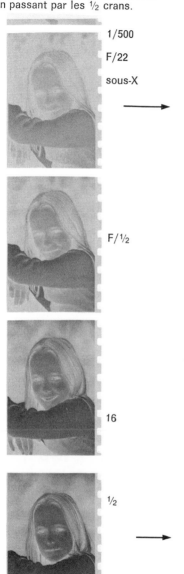

1/500

F/22

sous-X

→

F/½

16

½

Brovira #5.

Polycontraste Kodak #4.

→

passer d'interminables moments à repiquer son épreuve.

6) Il y a maintenant les pellicules, qui, bien que très faibles, présentent malgré tout un certain équilibre entre les ombres et les hautes lumières, ceci étant généralement le résultat de films correctement exposés, mais sous-développés. A mon avis, il ne faudrait pas tenter de *renforcer* ceux-ci; tous les détails étant présents, il serait plutôt préférable (et plus facile) de rajuster le contraste en les tirant sur une émulsion contrastée de #3, #4 ou #5.

7) Disons pour finir que, si une pellicule doit être renforcée, elle doit toujours l'être modérément, car il ne faut pas oublier que la

F/11

½

sur-X

F/8

On arrive à tirer une épreuve acceptable à tous les crans.

Polycontraste Kodak #3.

granulation aussi augmentera proportionnellement avec le degré de renforcement. Il serait donc sage de cesser l'opération juste au moment où les détails dans les ombres sont suffisamment denses pour permettre un tirage acceptable.

Photo hors-texte. R.W.

Ceux qui s'objectent au grain auront tout intérêt à renforcer leur pellicule avec du Kodak Chrome Intensifier, de loin supérieur aux autres.

Et si rien de tout ce que vous aurez tenté ne réussit, flambez votre pellicule . . .

50

« L'agitation » est-elle aussi nécessaire pour les films que pour les papiers à agrandissement, et qu'arrive-t-il si l'on n'agite pas suffisamment?

1) Oui, elle l'est. Cependant, les modes ou les techniques d'agitation ne sont pas les mêmes pour les films que pour les épreuves papier. Pour atteindre un degré optimum de densité et de contraste — pour les films, en supposant qu'ils ont été correctement exposés —, il est impératif non seulement de développer suivant les recommandations du f a b r i c a n t, mais encore d'agiter selon les mêmes instructions.

2) Lorsqu'un film — enroulé sur un support en spirale — est plongé dans une cuve de révélateur, on doit:

a) d'une part, l'agiter vigoureusement pendant 20 secondes de haut en bas à l'aide de la tige autour de laquelle on l'a glissé, et effectuer un mouvement de rotation de gauche à droite, en plus de frapper assez fortement la base de cette cuve contre le fond ou le rebord du bac dans le but évident de débarrasser l'émulsion des bulles d'air qui pourraient y être accrochées;

b) d'autre part, il faut s'assurer que la répétition intermittente de l'agitation se fait selon un cycle établi — pour les films — soit 5 secondes toutes les demi-minutes, jusqu'à la fin du développement.

3) Si un film était déposé dans la solution et laissé immobile, l'action des agents développeurs n'agirait à la surface de l'émulsion sur les sels d'argent que pour un temps très court (à peine 30 secondes) et s'épuiserait rapidement, faute de renouvellement par agitation. L'émulsion doit être constamment en contact avec du révélateur frais. Trop peu d'agitation se traduit par une pellicule non uniforme dans les parties denses, en plus d'un contraste inférieur... alors qu'une agitation excessive produit toujours des films sur-développés, donc plus denses et plus contrastés que la normale.

4) Ce qui est peut-être plus important encore quant à l'agitation, c'est la «forme» qu'elle prendra. On n'en est pas à une théorie près sur la manière d'agiter un film, afin d'obtenir les meilleurs résultats. Toutefois, il en est une qui retient de plus en plus l'attention; il s'agit de «rouler» la cuve (couchée à l'horizontale) de la même façon qu'on roulerait un baril, pendant 5 secondes et, en la redressant à la verticale, on lui fait subir un mouvement que je qualifierais de «giratoire» pendant 2 ou 3 secondes additionnelles. Ceci assure une distribution du révélateur à la surface de l'émulsion dans toutes les directions et ce de façon égale, et élimine les rayures sombres, conséquence d'une agitation toujours dans le même sens. L'agitation par inversion de la cuve est aussi excellente, mais quelque peu brutale, surtout s'il n'y a qu'une roulette dans une cuve pouvant en contenir 4 ou 5.

5) L'agitation du film dans le bain d'arrêt et le fixateur ne constitue pas, selon moi, une opération critique; l'important est qu'elle soit suffisamment longue. On notera que le temps de fixage sera proportionnel au rythme d'agitation.

En un mouvement de haut en bas et de gauche à droite, dans la solution, cette méthode d'agitation est excellente.

6) L'épreuve d'agrandissement devra demeurer constamment immergée et en agitation constante dans le bassin de révélateur, dans celui du bain d'arrêt et dans celui du fixateur. Si l'on croit procéder au développement de plus d'une photo à la fois, on devra s'assurer que celles-ci sont plongées dans une solution « dos à dos » et que les émulsions «glissent» les unes contre les autres. Une agitation constante élimine les problèmes de taches jaunes ou brunes, ou encore les noirs «chamarrés». A l'instar de la bulle d'air qui adhère à la surface du film — et qui empêche l'action du révélateur, produisant par le fait même un petit point transparent sur le film —, les émulsions papier produiront aussi des taches de développement incomplet là où elles collent les unes aux autres. Gare au manque d'agitation même dans l'eau de lavage; vous n'aurez peut-être pas de tache immédiatement, mais le glacé de vos photos en souffrira grandement.

Il est indispensable que les épreuves soient retournées constamment les unes sur les autres pour assurer une bonne agitation.

Une laveuse automatique qui nous laisse voir les épreuves constamment en mouvement.

51 Est-il vraiment nécessaire de faire des épreuves-contact de tous les rouleaux de film développés? Personnellement, je les trouve difficiles à « lire », même avec un verre grossissant.

1) Rien ne vous oblige à faire des épreuves-contact de façon systématique. Certains « pros » vous diront que c'est une perte de temps; il faut peut-être les croire car, pour un « pro », le temps passé en chambre noire est précieux. D'autres vous diront que c'est indispensable, ne serait-ce que pour éviter ou prévenir un certain chaos qui ne tarderait pas à s'installer dans le labo-...en raison d'un manque d'organisation bien élémentaire.

2) Faire des épreuves-contact constitue une opération supplémentaire qui se greffe à tous les autres travaux de chambre noire, j'en conviens, mais, pour plusieurs raisons, je vous encourage fortement à la faire. C'est une excellente habitude à prendre dès le début; vous ne le regretterez pas.

3) Une fois le séchage du film terminé, on court vers la visionneuse pour inspecter les premiers résultats, ne serait-ce que pour vérifier que la prise de vue a été une réussite. Cette constatation faite, on s'empresse d'épurer le film de tout ce qui n'est pas bon, préférant ne conserver que ce qui est montrable et valable. Un soupçon d'orgueil aide également à camoufler les erreurs de prise de vue ... Qui n'en fait pas? On coupera ensuite les bandes de film en longueurs de 6 clichés; après avoir « encoché» la bordure des clichés à agrandir,

on procède souvent immédiatement au tirage par projection sans effectuer d'épreuves-contact. Dans ce cas précis, il n'existe aucune référence visuelle pouvant aider un éventuel éditeur à connaître votre style ou approche de travail. J'avoue qu'une planche d'épreuves-contact peut constituer un document terriblement révélateur pour ledit éditeur, ce qui lui permettra de déclarer, sans équivoque possible: « Il l'a, ou il ne l'a pas! »

4) Je crois sincèrement que la pratique des planches-contact — en plus de vous mieux connaître vous-même, en vous affichant vos erreurs et vos défauts techniques, votre manque d'imagination, l'absence de continuité dans le déroulement d'un photo-reportage, votre « dextérité visuelle », tout cela sur une même planche et d'un seul coup d'œil — vous permet aussi de vous constituer un dossier où chaque planche-contact peut être rangée avec les pellicules, donc être rapide d'accès. Elle vous permet aussi de cadrer à votre guise certains clichés avec un crayon, avant même le tirage, de mettre au point un système de numérotage à l'endos de chaque cliché ainsi qu'un système de « fiches techniques » pour référence future.

5) Pour effectuer ces planches-contact, il suffit simplement de placer une feuille de papier à tirage de gradation correspondant à celle de vos films, et d'y étaler ceux-ci (coupés en bandes de 6 clichés) côte à côte, ainsi que les émulsions « en contact » sur le plateau de l'agrandisseur; pressez le tout avec une vitre épaisse, exposez à la lumière de l'agrandisseur (diaphragme à f/8) pendant une dizaine de secondes et procédez au développement. Les films 2¼ x 2¼ [6 x 6 cm] devraient être sectionnés en groupes de 4 ou 3 clichés; une feuille 8 x 10 [20,5 x 25,5 cm] accepte l'un ou l'autre, tout aussi bien que 6 bandes de 6 clichés 35 mm [24 x 36].

6) Il existe un moyen nouveau et révolutionnaire destiné à ranger les pellicules immédiatement après le séchage; il suffit de les insérer — en bandes de 6 clichés 35 mm [24 x 36] — dans des enveloppes de plastique « clair » extrêmement mince; ce système permet d'effectuer une épreuve-contact sans avoir à sortir les clichés de ladite enveloppe, évitant tout contact avec les doigts, et il est de visionnement aisé. Ce genre de dossier comporte un espace pouvant recevoir la fiche technique, la date, etc., en plus des trois trous (perforés à gauche) pour une classification idoine dans des classeurs à trois anneaux.

Voici un des différents modèles de tireuses de planches-contacts.

Une planche-contact type où l'on fait un premier choix et une tentative de cadrage.

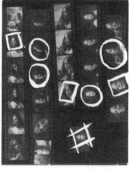

Deux techniciens s'affairent à étudier et à analyser des planches-contacts.

La tireuse-contact Paterson qui permet d'insérer les bandes de film dans des glissoires. La vitre est ensuite rabattue et le tout est exposé à la lumière de l'agrandisseur.

139

52 Pour en arriver à une exposition parfaite, que me conseillez-vous: de faire des « bandes d'essai » à partir de « filtres gradués » ou de m'acheter un posemètre pour agrandisseur?

1) L'exposition d'une épreuve à l'agrandisseur constitue probablement l'opération la plus importante du tirage, pour ne pas dire la plus compliquée, et aussi celle qui, selon qu'elle est bien ou mal menée, décidera de *la persévérance ou de l'abandon* du photographe amateur. Oui, elle est à ce point importante! Des milliers d'amateurs néophytes ont cessé de faire de la photo à l'époque où les appareils photo n'étaient pas automatiques. Mine de rien, les fabricants ont vite réagi, et le problème n'existe plus aujourd'hui. Gageons que les prochaines années verront apparaître les premiers d'une nouvelle génération d'agrandisseurs automatiques; pourquoi pas, étant donné le nombre grandissant de nouveaux techniciens de chambre noire?

2) On assiste déjà à un renouveau avec l'apparition d'agrandisseurs à mise au point automatique, en plus de la mise en marché de plusieurs modèles de posemètres pour la projection . . . Nous attendons maintenant les posemètres intégrés à l'agrandisseur. Si vous me demandez mon opinion, je vous dirai que je n'utilise jamais de posemètre au tirage. Je ne crois pas que ce soit la solution au problème. A l'essai, je me rends compte qu'ils rendent l'opération difficile, donnent rarement un temps d'exposition exact — quoique quelques-uns soient assez précis quant au grade de papier qu'ils recommandent — et que, finalement, le temps mis dans cette opération est trop long. Cela ne vaut pas la bonne méthode des « bouts d'essais ».

3) Quoi de plus facile et de plus économique que de couper une feuille de papier 8 x 10 [20,5 x 25,5 cm] (à la lumière actinique, bien sûr) et d'en déposer un morceau sur le margeur, tout en procédant à différentes expositions (3 ou 4) à l'aide d'un cache en carton noir? Il suffit de cacher les deux-tiers de la bande d'essai et d'exposer, disons, 3 secondes; d'en découvrir ensuite les deux tiers et d'exposer pendant encore 3 secondes (noter que le premier tiers aura maintenant 6 secondes d'exposition), pour finalement exposer toute la bande. Maintenant le premier tiers aura 9 secondes d'exposition, le deuxième, 6 secondes, et le troisième, 3 secondes.

4) Une fois ce petit bout de papier sensible développé pour la durée prescrite, une des trois plages devrait correspondre à un temps d'exposition correct. Plus cette bande de papier d'essai sera large, plus petite sera la marge d'erreur. On suggère de ne pas dépasser 2 pouces [5 cm] de large sur 8 pouces [20,5 cm] de long pour une pro-

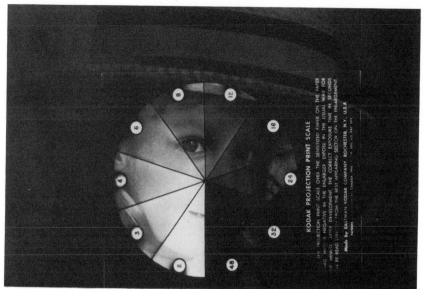

Le filtre à projection Kodak Projection Print Scale vous donne automatiquement le temps d'exposition juste à l'agrandisseur. Ici, il y aurait hésitation entre le 6 et le 8 secondes.

Un compromis: 7 secondes d'exposition.

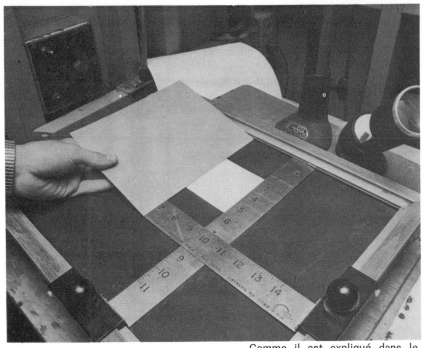

Comme il est expliqué dans le texte, il s'agit de faire trois expositions à l'aide d'une cache.

jection de 8 x 10 pouces [20,5 x 25,5 cm]. Il s'agit de la placer à l'endroit le plus intéressant de l'image projetée, soit de gauche à droite, soit de bas en haut, soit même en diagonale. Si vous n'êtes satisfait d'aucune des trois plages, recommencez autant de fois que nécessaire en ajoutant 2 ou 3 secondes à l'exposition originale ou en diminuant d'autant, si elle est trop foncée. A l'examen, vous pourrez juger de la densité du contraste ainsi que de l'état des noirs (voir question no 57).

5) L'avantage incontestable des filtres gradués, comme le Kodak Projection Print Scale, c'est qu'ils vous donnent automatiquement une plage d'exposition parfaite parmi un choix de 10. Après avoir déposé l'un d'eux sur une feuille de papier 4 x 5 [10 x 12,5 cm], vous exposez pendant 60 secondes et développez; votre temps exact d'exposition, en secondes, est inscrit à l'intérieur de la plage (en triangle). Le seule désavantage est que vous utilisez une plus grande feuille de papier que pour la méthode ci-haut.

Une bande d'essai ayant subi 4, 8 et 12 secondes d'exposition. Comme on peut le constater, la plage du centre donnera un meilleur résultat.

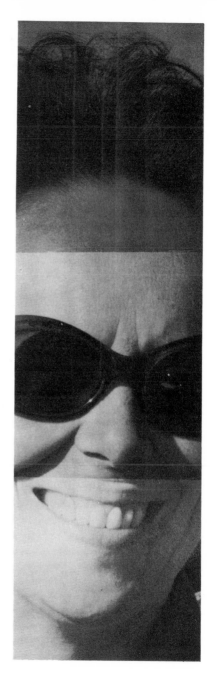

53 En quoi consistent le renforcement et l'atténuation à l'agrandissement?

1) Je précise tout de suite que ces termes recouvrent respectivement les expressions anglaises « *burning-in* » et « *dodging* ». « Restons français », comme disait Fernand Reynaud ...

2) Trouver le filtre à contraste adéquat et déterminer le temps de pose correct d'un agrandissement sont les premières choses à faire, bien entendu, mais cela n'est pas toujours suffisant pour que l'épreuve soit parfaite dans tous ses détails. En fait, cela est même assez rare et n'est pas nécessairement dû à un mauvais négatif.

3) Dans un paysage, on trouvera, par exemple, que le ciel est vide, alors qu'en examinant le négatif, on découvre des traces de nuage. Dans une photo avec des personnes, un des visages à l'ombre sera peut-être trop sombre, ou bien encore, s'il s'agit d'une photo prise avec un flash, tous les premiers plans seront trop pâles, tandis que les plans les plus éloignés seront au contraire trop foncés.

4) Toutes ces situations sont courantes et doivent être corrigées par un traitement *local* qui consiste essentiellement soit à donner un supplément d'exposition (renforcement), soit à raccourcir la durée de l'exposition du reste de la photo (atténuation). Afin que le traitement soit circonscrit à la zone que l'on veut améliorer, on se sert de *caches* qui peuvent être de trois sortes:

a) En premier lieu, la ou les mains: si vous avez déjà fait des ombres chinoises avec vos mains, vous savez quel instrument souple et docile elles constituent.

b) Les caches de formes simples: cercles, triangles ou carrés de carton, de deux ou trois grosseurs différentes et montés à l'extrémité d'un fil métallique fin, mais rigide, d'une dizaine de pouces [25 cm] de longueur. Les cercles font merveille quand il s'agit d'atténuer un visage trop sombre. Si l'on désire, au contraire, renforcer un visage trop pâle, on découpe un trou dans une feuille de carton mince (ne pas utiliser de papier, car il n'est pas assez opaque).

c) Les caches de formes complexes: ils sont faits sur mesure pour une photo bien précise lorsque les autres caches ne suffisent pas. On place sur le margeur une boîte (ou des livres) de 5 à 6 pouces [12,5 à 15 cm] de hauteur, puis une feuille de carton mince. On allume l'agrandisseur et on dessine le contour de la partie à masquer, puis on découpe.

5) Mode d'emploi: La main, ou le cache, ne doit jamais être posée à plat sur le papier sensible, mais toujours à quelques pouces au-dessus. La maintenir constamment en *léger mouvement*. Tout l'art de la

chose consiste à fondre les effets des différentes expositions pour que le tout soit invisible et paraisse naturel. La pratique vous permettra d'y réussir. Bonne chance.

Roland Weber.

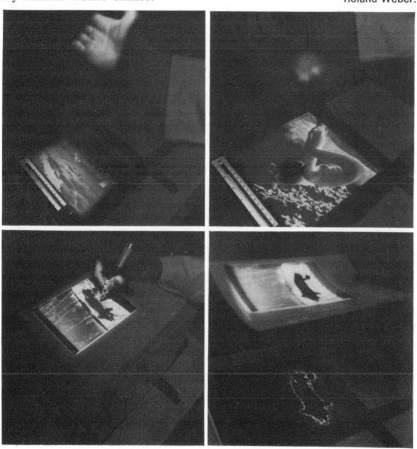

54
Quelle est la traduction des mots « DODGING » et « BURNING-IN »? Je sais qu'il s'agit de techniques de tirage, mais j'aimerais que vous me donniez plus de détails.

1) «To dodge» se traduit tant bien que mal par «maquiller». Il s'agit d'une technique bien spéciale, voire d'un art, de «rétention» — de la lumière de projection — de certaines plages de la pellicule présentant de faibles détails qui, autrement, risqueraient d'être perdus à l'exposition. C'est effectivement une pratique de tirage, dont on parle très peu dans la littérature photographique, et qui permet d'harmoniser l'ensemble de la pellicule sans nécessairement utiliser un papier doux pour conserver certains détails importants, mais un peu trop faibles, de ce film normal.

2) Il est difficile d'expliquer ce phénomène par des mots. Cette espèce de «manipulation» de la lumière dans l'espace, c'est-à-dire entre l'objectif et l'épreuve, tient presque uniquement de «l'intuition artisanales». A regarder un maître photographe s'adonner au maquillage avec ses mains — qui se découpent sur le fond noir du labo —, on a l'impression d'assister à une véritable danse de ballerines, tellement les gestes sont gracieux et continus. Il sait où il va, il sait ce qu'il veut; vous le verrez «retenir» la lumière par ici, surexposer un tantinet par là. Il cherche par tous les moyens possibles à «modeler» la lumière de telle sorte qu'il arrivera, par un jeu de contraste (amplifier ou diminuer), à créer un effet de troisième dimension sur cette feuille plane,

noircissant les ombres pour que les principaux éléments visuels se détachent du fond de l'épreuve.

3) C'est à ce stade-là qu'on décèle l'artiste, qu'on établit la différence entre les hommes et les enfants... en photographie. On apprendra beaucoup plus *à regarder travailler un « pro »* — et surtout à constater les résultats — qu'à lire des articles sur le sujet, si bons et si éclairés soient-ils!

4) Sur le plan pratique, disons que, pour effectuer un maquillage, on se fabrique soi-même de petites caches en carton noir de toutes les formes possibles, mais correspon-

Bien à portée de la main, ces petites caches se révèlent un outil presque indispensable pour équilibrer l'ensemble d'une épreuve.

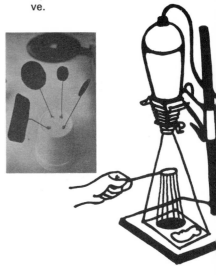

Cette photo d'Henri Charrière aurait été inutilisable pour plusieurs vu l'écart dans les hautes lumières et les ombres.

Toutefois, si l'auteur, en plus de patience et de beaucoup de papier, n'avait pas utilisé un jeu de maquillage et de surexposition locale approprié, il n'aurait pu équilibrer ainsi l'ensemble de l'image.

dant à la forme de la plage qui doit être «retenue». Dans le cas contraire, quand il s'agit de «brûler» (ou de faire «venir») des détails trop denses de l'image projetée, on aura recours à un carton ou à une feuille de papier perforé, dont le trou épousera à peu près la forme de la zone à corriger. Il va sans dire que ce cache sera collé avec du ruban gommé sur une très fine tige de métal. On devra le bouger constamment de haut en bas et en rond, pour éviter une démarcation trop visible entre la partie «retenue» et le contour de celle-ci. La même recommandation est valable pour le carton troué. Ave le temps, il vous sera possible de pratiquer ces interventions avec vos mains et vos doigts et, ainsi, de gagner bien du temps. A l'examen d'une bande d'essai, vous serez à même de constater s'il vous faut rapprocher le cache de l'épreuve ou bien l'en éloigner, ou encore prolonger ou diminuer le temps de l'intervention.

5) Il existe beaucoup d'autres techniques «d'harmonisation de l'image», telle celle qui consiste à utiliser des papiers à contraste variable avec deux filtres de gradation différente. Certains utiliseront aussi à la place d'un cache une vitre sur laquelle ils auront fait — à l'aide d'un petit pinceau — une petite tache d'encre de Chine rouge correspondant toujours à la forme de la plage à corriger. Cet art poussé à l'extrême fait que certains photographes n'utilisent qu'un grade de papier, soit le # 2 (dit normal), pour tous leurs travaux de chambre noire. Un exemple qui se prête bien à cette technique: l'écart de contraste souvent observé entre une robe de mariée et l'habit foncé du marié . . .

55 Que me conseillez-vous comme méthode de tirage lorsque ma pellicule est contrastée au point qu'un papier #0 ne suffit pas à produire convenablement une épreuve?

1) Je comprends fort bien votre inquiétude; dites-vous cependant que même les professionnels font des erreurs (souvent irréparables) de cette nature. Les pellicules très faibles et démunies de contraste (celles qui, justement, nous obligent à faire appel à des papiers très contrastés dont l'échelle de gradation offerte se situe à l'extrémité de la gamme, soit les #4, #5 et #6) comportent les mêmes problèmes de correction que celles dont le contraste est excessif. C'est le cas de la pellicule que vous me décrivez; les hautes lumières sont « bloquées » et on note une absence presque totale de détails dans les ombres. Ce type de cliché « dur » est souvent confondu avec un autre qui, lui, est uniformément *dense*. Le premier doit être tiré sur papier « doux »; le second donnera de meilleurs résultats sur un papier « contrasté ». Comprenez bien ceci: une pellicule *DOUCE* (absence de contraste et ternissure) devra être imprimée sur un papier *DUR*, alors qu'une pellicule *DURE* (contrastée avec des ombres transparentes et des hautes lumières « bloquées ») devra être imprimée sur un papier *DOUX*. Lorsqu'on a compris cela et qu'on est en mesure de déceler la différence entre ces deux types de pellicule, on peut se vanter d'avoir fait un grand pas en photographie. On considère une pellicule comme *NORMALE* lorsque après l'avoir déposée sur un papier journal, on arrive à lire le texte à travers toutes les plages de celle-ci; ceci n'est guère possible avec une pellicule *DURE* (vous n'arriverez pas à lire quoi que ce soit à travers les hautes lumières), pas plus d'ailleurs qu'avec une pellicule *DENSE*.

2) Une pellicule contrastée au point qu'il devient impossible de l'imprimer sur un papier de gradation extra-douce, tel le #1 ou même le #0 présente des problèmes. Ici encore, vous devrez faire appel à certaines techniques inhabituelles. Je vous déconseille de tenter de diluer votre solution de révélateur lors du tirage. Vous apprécierez davantage les résultats obtenus en l'«affaiblissant» avec une solution de persulfate d'ammonium (Super Proportional Reducer, voir question no 37), lequel a pour principale caractéristique de s'attaquer aux *noirs* (les hautes lumières) et de les affaiblir vigoureusement sans toutefois toucher aux autres plages.

3) Vous pourriez aussi utiliser un agrandisseur *diffuseur* (au lieu de condensateur) qui vous transformera votre papier #0 en un *grade plus doux*. Je n'ose pas vous suggérer l'achat d'un autre agrandisseur . . . mais peut-être qu'un bon copain en aurait un.

4) J'aimerais vous parler de cette autre méthode (presque infaillible) qui fait appel à un peu de bricolage. Il s'agit d'utiliser comme éclairage, un flash électronique au lieu de la lampe de l'agrandisseur . . . Essayez de fixer ce flash dans la boîte à lumière sans enlever la lampe; vous devrez l'utiliser de toute façon pour faire la mise au point. Croyez-le ou non, les résultats sont surprenants. On sait que la lumière intense et rapide d'un flash électronique est beaucoup plus *douce* que celle d'un éclairage conventionnel; aussi, elle amène une réaction différente au niveau de l'émulsion négative ou positive. Ne vous surprenez donc pas si votre #0 devient un #00. Selon la distance margeur-objectif de l'ouverture du diaphragme et selon la puissance du flash, vous pourrez opérer avec 3 ou 4 éclairs subséquents. Compte tenu de la miniaturisation des flashes actuels, il vous sera facile de tenter l'expérience. Un petit trou pratiqué à l'arrière de la boîte à lumière vous permettra de faire ressortir le fil à l'extrémité duquel vous pourrez insérer un objet de métal pointu pour déclencher l'éclair. Pensez aussi à l'absence de chaleur qu'offre ce système: vous n'aurez plus à vous inquiéter de votre pellicule qui menace de *bonbonner* à tout instant.

56 Quelles sont, selon vous, les étapes chronologiques à suivre pour agrandir une photo et réussir à tout coup?

1) Même après 25 ans de métier, je n'arrive pas encore à tirer — par projection — un épreuve *parfaite du premier coup*. Je peux «agrandir» un tas de photos sans en gaspiller une seule, mais de là à dire « voici, ces photos sont parfaites », un instant! J'avoue que dans la pratique (les années aidant), j'en viens à analyser «à l'œil» l'intensité de l'image (négative) projetée sur le margeur avec assez de précision pour, à peu près, toujours «réchapper» l'épreuve que j'en tirerai, mais c'est surtout en raison d'une connaissance approfondie du type d'émulsion utilisé et en capitalisant pleinement sur sa «latitude». N'oublions jamais que le point clef du tirage par projection est le temps d'exposition à l'agrandisseur.

2) La latitude de l'émulsion aidant (c'est-à-dire la tolérance ou, encore mieux, la marge d'erreur de surexposition ou de sous-exposition qu'elle permet), je peux assez facilement contrôler le développement par toutes sortes de trucs ou techniques qui font que très peu de papier à agrandisseur se perd dans mon laboratoire, lorsque la «qualité» n'est pas ma première préoccupation. Je fais allusion ici au travail journalistique. Quand il s'agit de photos d'exposition . . . c'est une tout autre affaire et je vous explique dès maintenant comment je procéderais:

a) Agrandir par projection signifie inverser une image négative (la pellicule) en une image positive. Je choisirai donc un négatif noir et blanc que je considère normalement exposé. Par cette dernière définition, je veux dire un négatif qui ne serait pas trop dense, ni trop contrasté, ni trop faible. Autrement dit, un film où l'ensemble des plages présente une échelle de gradation de tons qui m'apparaît normale (voir question no38).

b) Mes produits chimiques sont prêts: révélateur Dektol 1:2, bain d'arrêt et fixateur; le laveur attend que je le mette en marche. Je m'assure que tous ces liquides sont à environ 70 degrés F [21.1 °C] (la température même de mon laboratoire).

c) Je m'assure que mon négatif n'offre pas de poussières sur sa surface (voir question no 48).

d) Je le glisse délicatement dans le porte-clichés de l'agrandisseur, la face dorsale vers la lampe (côté luisant) et, après avoir choisi le degré de grossissement désiré, j'effectue la mise au point à l'aide d'un verre grossissant (voir question no 21), le diaphragme de l'objectif étant grand ouvert.

e) Le cadrage étant choisi, je diaphragme à f/8, j'éteins l'agrandisseur et règle mon métronome (voir question no 22)

Une pellicule normale tirée sur trois différentes gradations de papier sensible: celle de gauche sur no 1, trop douce; celle du centre sur no 3, normale; celle de droite sur no 5, trop dure.

f) Je prends une feuille de papier vierge (8 x 10: 20,5 x 25,5 cm, de gradation F2) que je partage en petites bandes de 1 pouce [2,5 cm] de large et j'en dispose une sur le margeur à un endroit important de l'image. Je ferme la boîte de papier.

g) J'allume l'agrandisseur et j'expose 10 secondes, puis j'éteins l'agrandisseur.

h) Cette « bande d'essai » sera développée pendant exactement 90 secondes, ni plus ni moins, en agitant constamment.

i) Un court rinçage dans le bain d'arrêt — 10 secondes au plus — puis je la dépose dans le fixateur rapide.

j) A ce stade-là, je pourrais constater le résultat sans avoir à faire la lumière (blanche) dans le laboratoire, mais pour me rassurer, j'allume après 1 minute.

k) Je constate que tout semble aller pour le mieux: les noirs sont noirs, les blancs sont très blancs. Si ce bout d'épreuve était trop pâle ou trop foncé, je devrais en tenir compte en ajoutant ou en diminuant mon exposition de quelques secondes.

l) Maintenant, je peux procéder. J'éteins la lumière du labo, je me rince les mains, je sors une feuille complète 8 x 10 [20,5 x 25,5 cm] que j'expose selon le résultat de la bande d'essai et je répète l'opération développement-rinçage-fixage en utilisant une pince. Mes photos glacées passeront environ une heure à 70 degrés F [21.1 °C] dans le laveur, avant de connaître l'opération séchage.

LES CARACTÉRISTIQUES DES DIFFÉRENTS NÉGATIFS

	Sous-développé	Développement normal	Sur-développé
Sous-exposé			
Détail	Absent	Absent	Absent
Densité	Absente	Un peu faible	Un peu faible
Contraste	Absent	Normal	Excessif
Exposition normale			
Détail	Un peu faible	Correct	Hautes lumières bloquées
Densité	Un peu faible	Correcte	Excessive
Contraste	Absent	Correct	Excessif
Sur-exposé			
Détail	Excessif	Excessif	Hautes lumières bloquées
Densité	Normale	Excessive	Excessive
Contraste	Absent	Normal	Excessif

57 Que faut-il retenir surtout — lors du tirage des épreuves — pour obtenir de beaux « noirs » et une image dite « bien équilibrée »?

1) Tout le monde sait (ou devrait savoir) que tous les métiers et les arts sont régis par des normes, des lois et des règles fondamentales (jamais immuables, par contre) auxquelles les artisans doivent se soumettre. Il est une de ces obligations qui a trait particulièrement au tirage et à l'analyse des épreuves photographiques. Elle se résume à peu près comme suit: à l'intérieur d'une image photographique — pour que celle-ci soit considérée comme normale et acceptable —, on doit retrouver, quelque part une plage présentant un noir très dense et « riche », ainsi qu'une zone de blanc pur. Cette affirmation suppose qu'à l'intérieur de ces deux extrêmes, on devrait normalement retrouver toute la gamme possible des tons intermédiaires de gris. Voilà notre photo parfaite!

2) Je me permets de m'inscrire en faux, tout au moins pour certaines techniques dites artistiques ou abstraites à saveur expérimentale, auxquelles on pourrait ajouter celles des photos en « high key » et en « low key », qui n'ont rien à voir avec une photo harmonieuse au sens de l'affirmation précitée. Et que dire des prises de vues faites par temps gris ou brumeux? Je crois plutôt que l'artisan doit tout mettre en œuvre pour restituer à l'image toutes ses valeurs telles que perçues dans la scène originale.

3) Ceci nous amène à une brève étude sur la manière d'obtenir des « noirs riches », auxquels beaucoup de débutants rêvent lors de certaines expositions de photos. J'affirme, dès maintenant, que les plus beaux noirs sont obtenus avec un papier fin glacé et séché brillant. Viennent ensuite ces mêmes papiers séchés mats, c'est-à-dire dont l'émulsion n'entre pas en contact avec la plaque chromée (c'est le fini que je préfère); ensuite tous les papiers mats plus épais que les précédents. Pour tous ces papiers, la saturation des noirs est vraiment atteinte avec les gradations #4, #5 et #6 qui sont progressivement très contrastées.

4) On a tous constaté que les fabricants offrent des émulsions photographiques dont les tons de noir n'équivalent pas à ceux des autres fabricants. On ne peut les blâmer pour la bonne raison que c'est volontairement qu'ils agissent ainsi, afin de satisfaire une multitude de goûts et de préférences de la part des usagers, comme c'est le cas pour les pellicules. C'est pourquoi, parmi les marques de commerce les plus populaires, les « initiés » vous diront que les papiers qui donnent les plus beaux noirs sont incontestablement les Brovira et Portriga de la firme Agfa Gevaert (allemande); si vous êtes obsédés par la recherche des « noirs cosmos », vous les trouverez grâce à ces firmes. Les papiers Kodak, Dupont, Ilford produisent aussi des noirs très acceptables, mais il semble qu'ils ne contiennent pas autant de nitrate d'argent.

5) Souvent, un photographe — insatisfait de la tonalité de son épreuve, pour ce qui est des noirs — choisira une gradation plus contrastée, ce qui, bien sûr, améliorera ses tons de noir, mais, du même coup, il devra sacrifier des tons intermédiaires de gris, perdant parfois des détails importants. Le problème n'étant donc pas réglé, il aura tout intérêt à procéder par «burning-in »(voir questions no 53-54). Il faut aussi, pour s'assurer les meilleurs noirs, que la température du révélateur ne soit pas inférieure à 55 degrés F [12.8 °C]. On oublie souvent de mesurer cette température de l'eau du robinet lorsqu'on prépare une solution fraîche; à cette basse température, les agents développeurs n'ont que très peu d'action sur les sels d'argent, et il en résulte une image grise et terne.

Epreuve directement imprimée sur papier no 2 sans aucune manipulation. Pour plusieurs, elle serait acceptable.

La même pellicule imprimée sur no 4, outre une surexposition des plages foncées (burning-in), telle la partie à gauche.

58

Existe-t-il un margeur permettant un tirage sans bordure? Est-ce possible de s'en fabriquer un? Comment fait-on pour faire une bordure noire sur une photo?

1) Les margeurs conventionnels utilisés par presque tout le monde ne sont pas conçus pour réaliser des épreuves sans bordure. Au contraire, c'est la raison même d'un margeur que de permettre — en plus de tenir le papier sensible en place — faire un cadrage, une marge, tout autour de l'image, selon nos désirs. Même si le sujet des margeurs a été traité brièvement à la question no 20 — quant aux différents types —, il reste que plusieurs photographes préfèrent ne pas en utiliser du tout; ils vous diront même qu'à la prise de vue, il n'y avait pas de bordure . . . Ma fois, ils ont raison!

2) Quant à moi, tout le travail qui m'est commandé par le journal est effectué de la façon conventionnelle, c'est-à-dire: photos avec bordure d'environ ⅜ de pouce [0,9 cm] de large. C'est une question d'efficacité et de rapidité. Je sais qu'on préférerait même (les gens de la mise en page) avoir une marge de blanc d'au moins ½ pouce [1,2 cm], question de leur permettre d'écrire des indications et d'y mettre des marques de délimitation en rouge (pour le cadrage et la réduction), au lieu d'avoir à faire ces mêmes inscriptions sur l'image même. Quant à mes photos personnelles en 8 x 10 [20,5 x 25,5 cm], elles sont réalisées sans bordure. A plus forte raison les 11 x 14 et les 16 x 20 [28 x 35,5 et 40,5 x 51 cm] pour exposition.

3) Une vitre pressée sur une épreuve est sans contredit la façon idéale de faire une photo en utilisant la totalité de la feuille sensible, et c'est aussi la seule manière d'assurer une planéité parfaite de l'image. Il y a, bien sûr, le système de «vacuum», que seuls peuvent se permettre les grands laboratoires, à fort prix, rassurez-vous! La photo ci-contre vous montre le margeur que j'utilise pour faire mes photos 16 x 20 [40,5 x 51 cm]. Il consiste en une feuille de contre-plaqué mesurant 20 x 18 [51 x 46 cm] sur laquelle j'ai tout simplement installé deux coulisses en aluminium (disponible dans les quincailleries) dont on se sert pour le contour des tables de cuisine. Une des coulisses est fixée en permanence, alors que l'autre est ajustable pour recevoir les papiers dont les dimensions varient d'une firme à l'autre ou d'un lot à l'autre.

4) Pour les photos 20 x 24 [51 x 61 cm] ou plus grandes (projection verticale), j'utilise du ruban gommé Scotch Pressure Sensitive Tape ½ pouce de large [1,2 cm] adhésif sur les deux faces, 3 pouces [7,5 cm] de long aux quatre coins de l'image. Ce ruban est collé fermement sur la tablette qui supporte le margeur (pour y demeurer) et j'y dépose la

La feuille sensible est retenue par quatre punaises afin d'obtenir une image totale (sans bordure). On obtient aussi le même résultat en pressant une vitre contre cette feuille, mais avec un risque de poussière en provenance des deux surfaces du verre.

Ce petit adhésif (aux deux faces collantes) se révèle excellent pour maintenir une feuille sensible en place et assurer une photo sans bordure. On en dépose un à chaque coin.

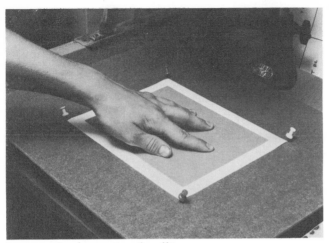

Pour une bordure noire, il suffit de placer un carton noir ou opaque sur la feuille et d'allumer la lumière du laboratoire.

feuille vierge en appuyant légèrement aux quatre coins. Si l'opération est menée délicatement, l'épreuve se décolle facilement sans « arracher » le ruban.

5) Lorsqu'il s'agit de reproduire un négatif 35 mm (24 x 36: [61 x 91,5 cm]) en entier et que ce format ne correspond pas à 16 x 20 pouces [40,5 x 51 cm] au grossissement, je dépose une bande de métal peinte en noir de ½ pouce [1,2 cm] de largeur sur 20 pouces [51 cm] sur la photo, au bas de l'image. C'est la seule bordure blanche que je conserve parfois et c'est une indication, pour moi, que de constater que cette photo est entière, donc sans aucun recadrage.

6) On obtient parfois un certain effet esthétique — pour des photos à saveur dramatique — en laissant paraître une bordure noire. Le résultat est le même que celui obtenu en collant cette photo sur un carton noir et en y laissant une bordure plus ou moins large. Pour produire une bordure noire sur votre épreuve, taillez-vous un carton ou une vitre opaque d'environ 1 pouce [2,5 cm] plus petit que votre photo 8 x 10 [20,5 x 25,5 cm]. Lorsque l'épreuve a été exposée à l'agrandisseur, déposez ce masque en position sur celle-ci, en appuyant légèrement (attention à l'alignement!) et faites la lumière dans la pièce. Au développement, vous verrez apparaître une bordure très noire et uniforme. Inutile d'insister sur le fait que vous pouvez vous fabriquer toute une série de masques (ovale, rond, triangulaire, en trou de serrure, etc.) pour ajouter encore plus de piquant à vos photos...

Hors-texte.

59 Est-il vrai qu'il faut laver les photos au moins une heure pour être sûr de les conserver?

1) Il y a deux causes à la détérioration de l'image photographique: un traitement incomplet et un entreposage inadéquat. Dans le premier cas, le fixage et le lavage sont les responsables de cette dégradation; dans le second, c'est la pollution atmosphérique. Des études ont démontré que, même après un lavage continu de 24 heures, une photo contenait encore une quantité de fixateur trop grande pour une conservation maximum!

2) Il faut distinguer, je crois, deux niveaux de longévité pour une photographie: l'une, pratiquement indéfinie, est requise pour les archives (musée, port-folio à tirage limité, etc.); l'autre, de moindre durée, est suffisante pour les besoins de la majorité des photographes. Les lecteurs intéressés par la permanence de type «archives» trouveront en note où s'adresser pour une étude complète du sujet. (1)

3) La première étape importante est le fixage. Les points à surveiller sont les suivants:

a) Ne pas laisser plusieurs photos en tas, immobiles dans le fixateur. Au contraire, il faut en assurer la *rotation fréquente*, sinon constan-te: l'épreuve du dessous est retirée, puis déposée sur les autres, puis c'est au tour de la suivante et ainsi de suite. Le fixateur doit être *frais*.

b) Ne pas dépasser la quantité de photos indiquées par le fabricant. Il ne faut pas considérer le fixateur comme un bain d'attente dans lequel on peut accumuler les photos jusqu'au moment du lavage final. Au contraire, cette pratique est extrêmement nuisible. Dans un révélateur de type standard, 10 minutes sont considérées comme un maximum. Beaucoup de photographes se servent de 2 bains de fixateurs séparés, utilisés en succession durant 4 minutes chacun. Après un nombre déterminé d'épreuves, le premier fixateur est jeté et le second prend sa place. Une solution fraîche est alors préparée comme deuxième bain.

4) Le lavage constitue la deuxième étape cruciale du traitement. Il est exact qu'une photo sur papier cartonné doit être lavée durant une heure, mais cela n'est pas tout. Encore faut-il que l'eau ne soit pas à une température inférieure à 68 °F [20 °C] ou supérieure à 80 °F [26.7° C], qu'elle soit courante ou renou-

---

(1) « Procedures for processing and storing black and white photographs for maximum possible permanence ». Prix: $0.50.
Ecrire à: East Street Gallery,
723, State Street,
Box 68,
GRINNELL, IOWA 50112.

160

velée fréquemment, et que les photos soient en mouvement (mécaniquement ou manuellement) constant. On voit que toutes ces conditions sont rarement réunies! Il existe néanmoins un raccourci, pourtant peu utilisé par les amateurs. Après le fixage, les photos sont passées, durant 2 minutes et avec agitation constante, dans une solution d'éliminateur d'hypo (2), puis transférées dans la cuve de lavage. La durée de celui-ci peut alors être raccourcie considérablement: 10 minutes pour le papier mince, 20 pour le cartonné. De plus, la température de l'eau peut être abaissée fortement, ce qui est très pratique durant les mois d'hiver. Seules demeurent la nécessité d'une circulation constante des épreuves et celle du renouvellement fréquent de l'eau.

5) La toute récente mise sur le marché des papiers à *enduction de résine* (Kodak *Polycontrast* R.C. et Dalco) apporte une solution qui sera fort appréciée. Jugez-en plutôt: fixage, 2 minutes; lavage, 5 minutes (je suggère néanmoins l'emploi de l'éliminateur d'hypo). Séchage rapide à l'air et *sans gondolage . . .*

---

(2) L'éliminateur « V-87 » de Christie Chemical, de Montréal, présente l'avantage sur les autres d'être livré sous forme liquide, facile d'emploi.

60 En quoi l'EAU DE LAVAGE et LE TEMPS DE LAVAGE peuvent-ils affecter la longévité d'une épreuve photographique, et dites-moi s'il y a avantage à filtrer l'eau du robinet?

1) Aussi incroyable que cela puisse paraître, les grands laboratoires ont prouvé — sans l'ombre d'un doute — que laver les films et les épreuves à l'eau courante n'était pas la meilleure façon de procéder. Les tests de certains chimistes concluent et prouvent que des films et des épreuves qui trempent dans différents contenants d'*eau stagnante* (avec agitation modérée), se libèrent plus rapidement de leurs *sels complexes* que d'autres, lavés à l'eau courante, même pendant 1 ou 2 heures. 5 rinçages de 5 minutes chacun, dans 5 bassins d'eau stagnante (10 secondes d'agitation par minutes), sont de loin supérieurs à 30 minutes de lavage à l'eau courante, pendant une heure et parfois 2h30 . . . La réponse est là: ou bien on utilise la méthode de l'eau stagnante décrite ci-haut, ou bien on s'astreint à laver notre douzaine d'épreuves pendant une moyenne de 1h30 (¾ d'heure pour les films). C'est tout!

2) On se demande parfois quelle est la différence entre une laveuse très chère et une autre bon marché. C'est très simple: la différence réside au niveau de l'agitation; pour la première, l'agitation se fait automatiquement, alors que, pour la deuxième, on doit la faire manuellement et voir à retourner les épreuves sur elles-mêmes périodiquement. Comme il est virtuellement impossible de laver une photo complètement, on n'a qu'à tirer le meilleur parti possible de la méthode dont nous disposons. D'ailleurs, comme la vaste majorité des amateurs n'est pas pressée . . . et n'utilise que rarement les solutions dites Hypo Eliminator, Hypo Clearing Agent ou Washing Aid, on peut supposer qu'ils auront toujours un lavage adéquat s'ils s'en tiennent aux recommandations suivantes:

a) La température de l'eau de lavage ne devrait pas excéder 75 degrés F [23.9 °C] et ne devrait surtout pas être inférieure à 55 degrés F [12.8 °C].

b) Se souvenir qu'il est plus dommageable de laver une émulsion durant une courte période à 90 degrés F [32.2 °C] (l'eau de l'aqueduc est parfois très chaude, en été) que durant une autre, plus longue, à 60 degrés F [15.6 °C]. Si l'eau de lavage excédait 95 degrés F [35 °C], il s'ensuivrait un ramollissement sérieux de la gélatine qui supporte l'émulsion.

c) Se rappeler qu'un lavage à l'eau chaude *neutralise* l'effet du durcisseur incorporé au fixateur. Le problème est doublement plus sérieux lorsqu'il s'agit de *films*; aussi, ne jamais dépasser 72 degrés F [22.2 °C].

d) *Tous les moyens sont bons* pour assurer une *agitation* constante des photos dans l'eau de lavage, et ne aissez personne vous dire le conraire.

5) Peut-être, me direz-vous que le raitement des films couleur (E-4, ntre autres) ainsi que celui des photos couleur sont menés à des empératures de 85 degrés F [29.4 C]? C'est très vrai, mais dites-ous bien que ces émulsions sont abriquées et traitées en conséquen-e.

) Vous remarquerez que l'eau de avage a parfois une apparence lai-euse: c'est sûrement l'eau du robi-iet qui ne coule pas assez vite, ou ncore l'eau chaude et l'eau froide ui, en se mélangeant, laissent chapper de l'air; il faut donc ac-élérer le débit. Surveillez de très rès ces bulles d'air qui adhèrent arfois à l'émulsion et ralentissent e processus de lavage, nécessitant ainsi un surplus d'agitation. Par suite de cette constatation, on comprendra pourquoi on ne recommande pas l'installation d'un aérateur d'eau au robinet pour le lavage des épreuves et des films. Si l'eau du robinet a une apparence brunâtre, vous avez des problèmes graves, la pollution vous a rejoint! Toute eau potable (c'est-à-dire bonne à boire) convient très bien au lavage des photos, mais celle qui est brunâtre . . . moins! Dans ce dernier cas, courez vite vous acheter un filtre, peu importe sa marque, en autant qu'il puisse s'adapter à l'entrée d'eau de la maison (l'entrée maîtresse) et permettre de boire de l'eau propre . . . ou encore, installez-vous-en un plus petit pour votre labo seulement.

61 J'aimerais que vous me décriviez votre technique d'opération pour arriver à faire une photo d'exposition de 16 x 20 pouces [40,5 x 51 cm].

1) Ma technique personnelle pour réaliser une épreuve d'exposition — fût-elle de format 11 x 14, 16 x 20 ou 20 x 24 [28 x 35,5, 40,5 x 51, 51 x 61 cm] — est relativement simple et, rassurez-vous, ne requiert aucune imagination. C'est de la technique pure et simple. Je suis très conscient qu'une photo étalée sur un mur est appelée à être regardée par des centaines et même par des milliers de personnes et qu'elle sera passée au peigne fin, parfois scrutée à la loupe . . . C'est pourquoi elle se doit d'être techniquement parfaite. Même si les images qui « participent » à une exposition ne sont pas toujours des chefs-d'œuvre — sur le plan de la prise de vue —, la reproduction en grand format qu'on en fera doit être tout à fait impeccable.

2) L'erreur la plus commune — que je note en regardant parfois ces photos — est qu'un fort pourcentage de celles-ci sont littéralement hors foyer; et ce hors foyer a été créé au tirage, et non à la prise de vue. . . Il semble incroyable que, après s'être donné tant de mal — à la prise de vue — pour que tout soit au point, on n'attache pas plus d'importance à un geste aussi simple que la mise au point lors du tirage.

3) Certains agrandisseurs bon marché permettent une mise au point très précise jusqu'au moment où la main lâche la manette de mise au point; après, l'image redevient hors foyer, souvent à l'insu de l'opérateur. Il est donc important de bien regarder l'image pendant quelques secondes APRES avoir lâché la manette. A ceci s'ajoute la chaleur de la lampe de l'agrandisseur, qui est vraiment la bête noire du technicien et qui, après être demeurée allumée durant quelque 15 ou 20 secondes, provoque un réchauffement de la pellicule et la fait se gondoler exactement comme une diapositive dans un projecteur. L'usage d'une vitre antichaleur entre la lampe et le film est très recommandée, mais la majorité des agrandisseurs n'en ont pas. Placer la pellicule en sandwich entre deux vitres introduit un problème de nettoyage de la poussière sur six surfaces, ce qui est très laborieux.

4) Pour remédier à tout cela, voici ce que je fais: j'introduis la pellicule — bien nettoyée — dans le porte-film (sans vitre), j'allume la lumière de l'agrandisseur et elle le restera *pour toute la durée de la séance d'agrandissement.* Je fais une mise au point très sommaire et je procède au cadrage et à l'étude de l'image, choisissant le grade de papier nécessaire et préparant même une bande d'essai. Cette opération durera à peu près une minute. C'est seulement *après* ce laps de temps que j'effectuerai la mise au point finale et, bien entendu, à l'aide l'un dispositif de mise au point ur le grain (voir question no 21)

) Ceci fait, (la lampe étant tou-ours allumée), je ne crains pas que mon foyer change, car le film st à une température constante. Je mets en position le filtre rouge, puis e dépose une bande d'essai de 2 ouces [5 cm] de large par 16 ouces [40,5 cm] sous les plages le l'image qui m'intéressent le plus. 'expose en déplaçant le filtre rou-e (avec une lampe #212 et pour ne pellicule dite normale), durant secondes, 10 secondes et 15 se-ondes sur chacun des trois tiers le la bande d'essai (voir question o 52). Développement, fixage et nspection. Maintenant, voici le tade final — et non moins criti-ue — où la feuille vierge de 6 x 20 [45,5 x 51 cm] est insérée lans le margeur et laissée immo-ile durant au moins une minute vant l'exposition. Ce laps de emps permet à l'émulsion de s'acclimater » à l'air et à la tem-pérature ambiante; si vous l'obser-vez de près, vous verrez qu'elle a aussi tendance à gondoler sen-siblement, mais elle se stabilise complètement après une minute. Tout gondolage durant l'exposition se traduit par un hors foyer très désagréable. Et c'est l'opération « vignettage » et « maquillage », si cela s'avère nécessaire, et le déve-loppement conventionnel. Un soin tout particulier doit être apporté pour ne plier l'émulsion à aucun moment, au cours de l'opération, et tout particulièrement AVANT le développement. Toute l'opé-ration développement est condui-te avec la feuille grand format main-tenue continuellement *plane* dans de grands bassins et avec une agi-tation continue. Ne pas utiliser de laveur rotatif. Le « Hypo Elimina-tor » est essentiel pour la perma-nence des grandes images destinées à être exposées dans toutes sortes de situations.

62 Pouvez-vous m'indiquer les méthodes à suivre pour obtenir de photos parfaitement bien glacées comme j'en ai vu lors de certaine expositions de photographes professionnels?

1) Pour bien comprendre ce phénomène du *glaçage,* il serait bon de savoir exactement ce qui se passe au niveau de l'émulsion pour que celle-ci devienne brillante au séchage. Le ramollissement et l'expansion que prend l'émulsion, par suite des opérations de développement, font qu'elle retrouvera sa forme originale lorsqu'elle sera mise en contact avec une vitre ou une plaque dite « chromée » (de type ferrotype). En séchant, l'émulsion se contracte et épouse un fini luisant, identique à celui de la surface sur laquelle elle est collée. Inutile d'insister sur la propreté de ces deux surfaces qui viendront en contact: la moindre particule de poussière sera grossièrement exagérée, de la même façon que le montage-collage à sec (voir question no 160).

2) C'est justement au stade du glaçage qu'on comprend l'importance de chacune des phases qui constituent les opérations de développement. Il suffit d'une erreur ou d'une négligence quelque part, pour que le glaçage soit, sinon totalement raté, du moins assez moche pour qu'on choisisse de sécher ses épreuves en semi-mat, afin de camoufler son manque d'expérience. Il est vrai que l'opération glaçage est très délicate. Je comprends aussi le nombre sans cesse croissant d'ama-

teurs qui préfèrent sécher *mat* et n veulent plus entendre parler de gl çage. Le phénomène a d'ailleur donné naissance à une nouvelle fo me de snobisme (surtout dans le clubs photo) qui veut que le glaç ge soit « *dépassé* ». Pourtant, il e possible d'obtenir des photos ave un luisant parfait; les règles à su vre n'ont rien de bien malin. L succès ou l'insuccès d'un glaçag commence en fait dans le bain de xage.

a) De préférence, diminuez le co tenu du durcisseur (dans le fix teur) de moitié, malgré ce qu'en d sent les formules d'emploi.

b) Si les recommandations pour l durée du fixage parlent de 5 min tes, ne fixez que 4 minutes: il e plus important de fixer *moins lon, temps* que *trop longtemps.*

c) Assurez-vous que vos photos n collent pas ensemble, mais qu'elle glissent plutôt les unes sur les a tres. Inversez-les régulièrement.

d) Evitez de remplir votre bain d fixateur de trentaines d'épreuves ne dépassez pas 12 épreuves à l fois.

e) Vidangez toutes solutions a moindre signe d'affaiblissement, inclus le révélateur, le bain d'arrê et le fixateur.

A noter que les recommandation élémentaires ci-haut s'appliquen aussi au lavage.

3) Pour s'assurer un bon glaçage, les photos doivent être sorties de l'eau de lavage une à une, et essuyées de façon à ce qu'on ne voie plus aucune trace d'eau. Si vous les séchez sur une plaque *chromée,* déposez-les dans une solution d'agent mouillant (Pakosol ou autre). Au sortir, il est important de bien éponger l'endos de l'épreuve pour en extirper l'eau, soit avec une raclette en caoutchouc soit avec un linge sec, pendant que l'émulsion entre en contact avec le côté brillant de la plaque (l'émulsion, aussi, ayant été libérée de son eau). On pense, à tort, qu'il faut laisser de l'eau sur l'émulsion pour garantir un meilleur glaçage; n'en croyez rien. Si c'était vrai, *pourquoi utiliserait-on un agent mouillant,* qui a justement pour fonction de rendre l'eau plus *fuyante* à la surface de l'émulsion?

4) Il est cependant très important que la toile qui s'appuie sur les photos soit bien tendue, de manière à éviter que les coins de l'épreuve ne retroussent avant la fin du séchage. On se sera assuré, bien sûr, qu'il ne persiste aucune bulle d'air entre la plaque et l'émulsion. Et puis, si rien de tout cela ne réussit ou ne vous suffit . . . abandonnez tout et référez-vous à la question no 36).

63 Pourquoi dit-on qu'une photo mal composée, lors de la prise de vue, peut être « réchappée » ou récupérée au moment de l'agrandissement, voire améliorée, par un usage rationnel du margeur?

1) Les photos, telles qu'on nous les présente après le tirage, sont très, très rarement une réplique exacte de la pellicule originale; tout au moins en ce qui a trait au cadrage. Si tel était le cas, aucune photo ne correspondrait au format très populaire de 8 x 10 pouces [20,5 x 25,5 cm]... puisque le négatif 35 mm [donc 24 x 36 mm exactement] correspond en réalité à une image de 8 x 12 [20,5 x 30,5 cm] si on le restitue dans son entier. De même, les pellicules 2¼ x 2¼ [6 x 6 cm] devraient-elles donner une image carrée, ce que plusieurs photographes refusent de faire, préférant utiliser au maximum la totalité d'une feuille 8 x 10 [20,5 x 25,5 cm].

2) Cette standardisation dans les formats de papier à développement — à part le fait que presque tout le monde «sabre» dans ses films au moment du tirage — a donné naissance à un nouveau format 2½ x 2¾ [6 x 7 cm] qui, au tirage, est exactement proportionnel au format d'une feuille 8 x 10 [20,5 x 25,5 cm], donc sans aucune coupure du négatif. Ce format d'appareil est, plus précisément, utilisé par les professionnels.

3) Si vous n'êtes pas de ceux qui, à l'instant même de la prise de vue, cadrent ou «visualisent» leurs sujets en fonction des règles élémentaires de la composition, le bon usage d'un margeur, au moment du tirage, est votre dernière chance. Ce qui me fait dire que, souvent, toute la différence entre une bonne et une mauvaise photo réside au niveau du margeur. D'autres iront plus loin et vous diront que les bonnes photos ne se font pas au déclic mais dans la chambre noire. C'est peut-être un peu fort...

4) J'ai longuement traité des règles fondamentales de la composition dans un précédent ouvrage («*La technique de la photo*»), où j'insistais sur l'usage de la «règle des tiers» lors de la prise de vue; cette même technique des « tiers » s'applique rigoureusement au margeur. Rien de plus facile que de diviser celui-ci exactement à la manière d'un «tic-tac-toe»; au croisement de chacune des lignes, vous devrez tracer un point à l'aide d'un crayon gras. Ces quatre «centres dynamiques» vous serviront à ajuster votre principal «point d'intérêt» — en déplaçant à loisir les margeurs — selon l'impact visuel que vous voudrez donner à votre image (voir photo ci-contre).

5) La première ligne horizontale — délimitant le premier tiers — se prête généralement bien comme ligne d'horizon, mais rien ne vous empêche de situer cet horizon à la deuxième ligne de votre «tic-tac-toe» si vous jugez que l'importance de

Le jeu de tic-tac-toe sur la feuille de mise au point.

votre ciel (dans le cas d'un paysage) y gagne.

6) Que de fois on aura fait des
photos alors que l'objectif de l'appareil ne correspondait pas au cadrage désiré — l'angle de vue étant
trop grand, par exemple. Dans ce
cas précis, il faudra «grossir» l'image et refaire une nouvelle composition en éliminant tous les détails
superflus en bordure de l'image.
C'est la raison même d'un margeur:
ses deux bandes de métal coulis-

Deux cadrages différents réalisés en utilisant la méthode du tic-tac-toe. Plusieurs autres sont aussi possibles. ⟶

santes vous permettent de cadrer «serré» un sujet qui, autrement, serait alourdi par un environnement distrayant.

7) Très souvent, on transforme une photo originalement prise «à l'horizontale» en une photo «à la verticale». En dernière analyse, on se rend compte que le margeur ne sert qu'à «enlever» et qu'il est peut-être souhaitable, au moment du déclic, d'inclure *un peu plus* que l'image désirée.

64
On m'a parlé de la possibilité de faire des agrandissements en chambre noire sur du matériel autre que les émulsions conventionnelles; qu'en est-il exactement?

1) Vous faites sûrement allusion au procédé qui se nomme *Argenta Photo Linen*. Il s'agit tout simplement — comme le nom l'indique — d'un coton dont une des surfaces a été imbibée d'une couche d'émulsion sensible. Actuellement, il n'est pas disponible sur le marché québécois, mais on peut le commander par l'intermédiaire d'un détaillant de matériel photographique. Il s'agit d'un matériel très cher qui est offert en une seule gradation, soit le F-3, donc pour les pellicules normales. Un rouleau de 50 pouces [1,25 m] de largeur sur 25 pieds [7,50 m] de longueur se vend près de $200, alors qu'en feuilles 8 x 10 [20,5 x 25,5 cm] ou 11 x 14 [28 x 35,5 cm], il faudra payer de $5 à $10 *la feuille*. Conçu spécialement pour des murales, il peut être taillé dans toutes sortes de dimensions, aux ciseaux, comme du tissu ordinaire. C'est un matériel remarquable, en ce sens qu'il peut être étiré, froissé, chiffonné et même tordu sans que l'émulsion soit endommagée, émulsion qui est également à l'épreuve des craquelures. On recommande de le détremper dans l'eau avant de l'étendre sur le mur pour le tirage par projection.

2) Quant au développement, il se fait dans un pot de révélateur (un gallon [Impérial: 4,080 l, US: 3,840 l] convient pour un morceau de coton tout chiffonné de 50 x 50 pouces [1,25 x 1,25 m], en le brassant comme dans une machine à laver). Il est ensuite tordu ou essoré, puis déposé dans le bain d'arrêt, ainsi que dans le fixateur; puis il est lavé et séché sur une corde à linge ou dans la sécheuse automatique ordinaire de la maison; il peut même être repassé. Toutes les instructions relatives au mode d'emploi sont fournies avec chaque boîte de matériel. Personnellement, j'ai dû attendre plus de deux mois avant de recevoir mon matériel échantillon qui m'a coûté plus de $70 pour une dizaine de feuilles 8 x 10 [20,5 x 25,5 cm]. Par contre, j'ai bien apprécié la facilité avec laquelle on peut l'utiliser. Ce matériel. soit dit en passant, peut être déchiré en ligne droite, tout comme du coton ordinaire, ce qui permet de faire des bandes d'essai.

Détremper la feuille de coton ou de toile dans l'eau claire avant de la déposer dans le révélateur.

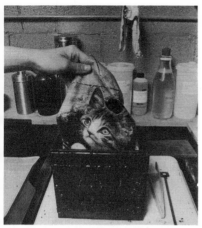

Le matériel est déposé dans le révélateur.

Le matériel peut être froissé ou chiffonné, mais aucun de ces défauts n'apparaîtra sur l'image finie.

L'inspection dans le fixateur.

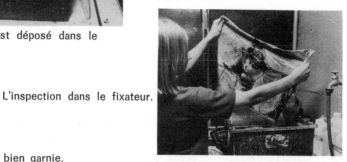

Corde à linge bien garnie.

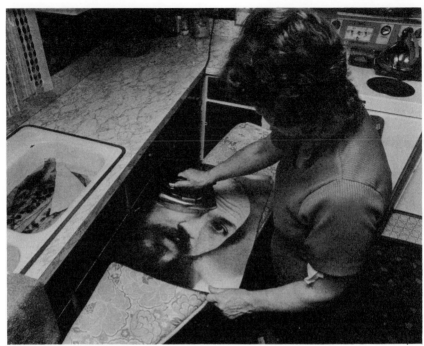

Même après le séchage sur une
corde à linge, on peut repasser
le matériel.

55 J'ai déjà vu un abat-jour représentant un très beau paysage en couleur, réalisé à partir d'un négatif noir et blanc; quel en est le procédé?

Probablement le même que celui décrit précédemment. Par contre, la couleur de ce paysage a sûrement été ajoutée à l'aide d'un pinceau et de différentes solutions colorantes. Il se peut aussi que cette photo ait été réalisée par un autre procédé qui s'appelle Sensitiz-Sur Kit, et qui est vendu par la firme Diversy Creation Corporation (Kansas 67 208 — P.O. Box 8167), au prix de $20, et dont j'ai en main le dépliant publicitaire. Je n'ai pu l'expérimenter, mais je peux vous dire cependant qu'il s'agit d'un nécessaire contenant tout ce qu'il faut pour émulsionner à peu près n'importe quel objet: des œufs, des verres, des assiettes, du bois, des lampes, de la porcelaine, bref, n'importe quelle surface sur laquelle on peut déposer, à l'aide d'un pinceau ou avec un vaporisateur (fourni dans le nécessaire), une solution gélatineuse sensible à la lumière. Le nécessaire comprend même une feuille d'aluminium déjà émulsionnée, prête à recevoir votre film favori. C'est ainsi que la notice explicative, très détaillée et très facile à suivre, vous décrira comment déposer *l'émulsion liquide* sur des objets très bien nettoyés, et sous quel type d'éclairage cette opération doit se faire; comment appliquer la couche de base (fournie avec le nécessaire); le temps requis pour le séchage; qu'il faut chauffer la solution sensible pour la rendre plus liquide;

comment procéder au tirage par agrandissement sur un objet à trois dimensions; et, finalement, tout ce qu'il faut savoir sur la coloration de cette image noir et blanc, à partir des trois solutions colorantes aussi incluses dans le nécessaire.

66 Quels conseils pouvez-vous me donner quant au tirage de photos en noir et blanc à partir d'un négatif couleur ou d'une diapositive?

1) Avant même de se procurer une émission papier de type Panalure, conçue uniquement pour cette fin — mais offerte en un seul grade de contraste —, nous avons tous tenté, avec un succès relatif, de projeter un négatif couleur sur un papier sensible ordinaire et, ma foi, les résultats étaient acceptables. On a vite remarqué, cependant, que l'échelle de gris ainsi reproduite était plutôt limitée. La raison en est une de *sensibilité chromatique*. Les papiers ordinaires pour tirage en noir et blanc sont de type *orthochromatique*, donc principalement sensibles au bleu. Ainsi, on peut s'attendre à ce que les *bleus* soient reproduits très clairs et les rouges, foncés et même noirs. Ce qu'il nous faut, c'est une émulsion papier sensible à toutes les couleurs, telle l'émulsion *panchromatique* qui, seule, peut traduire les différentes teintes du sujet en autant de valeurs de gris acceptables. La compagnie Kodak a conçu une telle émulsion: le papier Panalure. La grande sensibilité de cette émulsion nous oblige à utiliser un type de lumière inactinique spécial, de la série #10 (couleur ambre foncé). Ce papier convient tellement bien aux émulsions couleurs négatives qu'on peut au besoin utiliser les filtres à contraste (vert, jaune et rouge) au moment du tirage, tout comme on l'aurait fait à la prise de vue. Ainsi, si vous voulez assombrir une plage grise traduisant un bleu de votre sujet (le ciel par exemple), l'usage d'un filtre complémentaire tel le *jaune*, est tout indiqué.

2) Pouvoir tirer des épreuves en noir et blanc de négatifs couleur constitue un avantage positif pour celui qui veut éviter de faire des prises de vue avec deux appareils: un pour le noir et blanc et l'autre pour la couleur. Pour de meilleurs résultats, on aura intérêt à utiliser un révélateur *doux*, tel le Kodak Selector Soft Developer.

3) Reproduire une photo en noir et blanc à partir d'une DIAPOSITIVE couleur est chose relativement facile. Puisqu'il s'agit, ici aussi, de reproduire une scène originale en couleur positive, il faut donc se confectionner un négatif *intermédiaire* en noir et blanc. Pour ce faire, on fera appel à une émulsion à *grains fins* et à gradation douce, tel le film Kodak Ektapan (en feuilles de 4 x 5 pouces: 10 x 12,5 cm), le Professional Copy Film ou encore le Panatomic-X, toutes — et c'est essentiel — de type *panchromatique*.

4) Ce négatif intermédiaire se fait à partir de l'agrandisseur, en plaçant la diapositive dans le *sens contraire* d'un film en noir et blanc, c'est-à-dire l'émulsion face à la lumière pour pouvoir « lire » le négatif à l'endroit comme une pellicule ordinaire. La lampe de l'agrandisseur devra être le plus faible possible (une #211 de préférence), afin

176

d'éviter de diaphragmer à f/22, qui, comme on le sait, n'est pas l'ouverture optimum de l'objectif (celle-ci étant plutôt f/8). Le travail s'effectue à l'obscurité complète, et encore ici, le film devra être développé dans un révélateur *doux* (ex.: le Dektol, dilué à une partie pour 4). Cette méthode de reproduction par projection permet un jeu de *maquillage* et de « burning in » (sur exposition localisée), tout comme pour un tirage classique en noir et blanc. Ce négatif intermédiaire — dont la dimension pourra être de 4 x 5 pouces [10 x 12,5 cm] aussi bien que de 8 x 10 [20,5 x 25,5 cm], ou même de 11 x 14 [28 x 35,5 cm], sera ensuite imprimé par *tirage-contact direct* ou sur une feuille de papier sensible à projection ordinaire. Par contre, l'expérience aidant, vous noterez que ce négatif intermédiaire présente presque toujours un contraste excessif. Pour y remédier un tant soit peu, il vous faudra surexposer (trois fois plus longtemps, parfois) à l'agrandissement et, ensuite, couper le temps de développement de près de la moitié, tout en agitant très peu.

67 J'ai vaguement entendu parler d'un procédé de développement des films qui, semble-t-il, assurerait une tonalité très uniforme entre les hautes lumières et les ombres, évitant ainsi toute intervention de « dodging » et de « burning-in »; qu'en est-il exactement?

1) C'est très juste. Il s'agit sûrement de la technique de développement dite de « bain d'eau » (water-bath process) pratiquée plus particulièrement par les professionnels qui font usage de pellicule *grand format,* 4 x 5 pouces [10 x 12,5 cm] (et plus grand encore), donc de gros appareils. Cette pratique qui nécessite un *contrôle visuel* presque constant tout au long du développement, offre de bien meilleures chances de succès si elle est faite avec une seule pellicule à la fois. C'est pourquoi on l'emploie presque uniquement sur des émulsions *orthochromatiques* (non sensibles à la lumière rouge).

2) Ce phénomène découle d'une réaction chimique qui voudrait que les parties denses d'une pellicule exposée développent plus rapidement que les parties faibles; on peut donc en déduire que les *agents développeurs* s'épuiseront plus rapidement à la surface de ces plages plus denses.

3) Voici ce qu'il faut faire: on plonge la pellicule dans le révélateur pour un tiers du temps suggéré normalement — disons 2 minutes —, on agite *fortement* de façon à *gorger* l'émulsion de révélateur le plus vite possible, puis on sort le film et on le dépose dans un *bain d'eau claire* pour qu'il s'y repose 2 minutes. C'est à ce stade-ci que

se produit le *miracle*... L'action du révélateur cesse rapidement au niveau des hautes lumières (par épuisement, puisqu'il ne FAUT PAS AGITER DU TOUT DANS CE BAIN D'EAU) et continue son action sur les *plages faibles* un peu plus longtemps. Après ces 2 minutes de trempage, le film sera retourné dans le révélateur pour être encore agité fortement (question de gorger à nouveau l'émulsion), pendant 2 minutes; puis il sera replongé dans le bain d'eau (toujours SANS agitation). Cette opération se répétera une troisième fois avant que le film ne soit inspecté à la lumière inactinique convenant au type d'émulsion, puis fixé et lavé normalement.

4) Est-il besoin de préciser que ce procédé trouve son application surtout dans les cas où la prise de vue a dû être faite dans des conditions difficiles, comme, par exemple, face à un violent contre-jour ou encore pour un sujet terriblement contrasté. Pour pouvoir exercer un contrôle plus efficace encore, certains photographes n'hésiteront pas à *désensibiliser* l'émulsion avant le développement (procédé très délicat dont j'éviterai de discuter et qui, d'ailleurs, sort des cadres de cet ouvrage), afin de pouvoir faire appel à des lampes de sûreté plus fortes qui permettront de l'inspec-

ter de plus près. L'examen d'une telle pellicule dans des conditions d'éclairage si faibles suppose, de la part du photographe, beaucoup de jugement et d'expérience. Cette technique, poussée volontairement à l'excès, aurait pour effet de niveler uniformément tous les tons de gris de la pellicule à un point tel qu'il faudrait recourir à un papier très contrasté pour redonner à l'image une gradation à peu près normale.

5) Si, à l'examen de la pellicule en développement, l'opérateur se rend compte d'un affaiblissement exagéré des hautes lumières, il peut mettre fin aux *bains d'eau* et procéder à une autre immersion dans le révélateur pour un laps de temps assez long, afin de redonner à celle-ci la densité désirée. En pratique, on en arrive à constater que l'effet de *réduction* plutôt modéré d'un révélateur à teneur *d'élon et d'hydroquinone* tend à annuler, en quelque sorte, les avantages de cette technique; c'est pourquoi on suggère fortement un révélateur dont l'agent développeur serait du genre de l'Amidol, dont l'*action réductrice* est plus active et beaucoup plus conforme à ce mode de traitement. La photo (voir page 269), tirée d'une pellicule 2¼ x 2¼ [6 par 6 cm], a subi exactement le traitement décrit plus haut.

68 J'entends souvent parler d'une machine à développer les épreuves qui, semble-t-il, économise beaucoup d'espace dans le labo; qu'en est-il exactement?

1) Vous faites sûrement allusion à un appareil à stabilisation. Comme percée dans le domaine de l'automatisation, c'en fut toute une, et je pourrais vous en parler pendant des pages et des pages, tellement cette technique est emballante. C'est incontestablement la machine à développer (comme vous dites) de l'avenir. Le système se compare à tout point de vue aux appareils Polaroid à développement instantané. Quand on sait qu'il faut mettre de 45 minutes à une heure pour développer une épreuve par le procédé conventionnel et que ce système de stabilisation réduit ce laps de temps à 15 secondes... que penser?

2) L'idée, en elle-même, est relativement simple. Il s'agissait d'incorporer à l'émulsion des papiers sensibles (spéciaux pour ce système) les agents développeurs qu'on devrait retrouver dans les révélateurs conventionnels. Ceux-ci entrent en action dès l'instant où ils viennent en contact (en passant entre deux rouleaux de la machine) avec la première de deux solutions, laquelle est alcaline — on la nomme solution activatrice —, pour ensuite faire une courte trempette dans l'autre produit chimique, dit « stabilisateur », qui, lui, arrête le développement instantanément et stabilise l'épreuve. Celle-ci passe finalement entre deux autres rouleaux (comme sur les anciennes es-

soreuses) pour être complètement débarrassée de tout liquide et sort de la machine, un peu humide; en 5 minutes, elle finira de sécher. En voici, en vrac, les avantages:

a) Du même coup, vous libérez 50% de la surface du labo, soit tout le côté humide.

b) Aucun contrôle rigide de température (65 à 85 degrés F: 18.3 à 29.4 °C) n'est nécessaire.

c) La qualité (contraste et densité des tons) est en tout point comparable à celle offerte par le système conventionnel.

d) Seulement trois grades de papier à entreposer (doux, moyen et contrasté) pour la plupart des systèmes.

e) La machine du genre meilleur marché est la Spiratone Accurapid Stabilisation Print Processor, à $100; ce prix la rend presque accessible aux amateurs. Les autres marques (Kodak, Ektamatic, Ilford et Agfa Gevaert) se vendent entre $130 et $250.

f) L'économie de temps vous permet de « sortir » littéralement du labo pour effectuer davantage de prises de vue.

g) La machine est très compacte et n'occupe pas plus de 15 x 22 pouces [38 x 56 cm] d'espace sur la table de travail.

h) Aucune habileté, aucune dextérité, aucun jugement ne seront nécessaires pour manipuler cet appareil.

i) Impossible de faire des erreurs de développement, dorénavant, car. la machine développe ses photos avec la précision d'un chronomètre.

j) Les deux solutions *non utilisées* se conservent indéfiniment et celles qui sont versées dans la machine, peuvent y demeurer plusieurs jours.

k) Le coût des papiers sensibles ainsi que celui des produits chimiques sont concurrentiels aux autres produits conventionnels.

l) 15 secondes après l'agrandissement par projection, vous allumez la lumière et analysez les résultats.

A tous ces avantages s'en ajouteront d'autres que vous découvrirez certainement à l'usage. Toutefois, il faut noter que cette machine à vitesse démoniale ne fonctionnera pas bien — voire pas du tout — si elle n'est pas parfaitement de niveau; autrement, vous risquez de ne développer qu'une partie de l'image. On suggère de la mettre en marche pendant 1 ou 2 minutes, avant d'y insérer une première feuille, question de permettre aux produits chimiques de bien enduire les rouleaux. Les inconvénients sont peu nombreux, comparés aux avantages. La photo, une fois séchée, contient encore des produits chimiques actifs qui risquent, avec le temps, de nuire à sa stabilité si elle est exposée trop longtemps à la lumière intense, à la chaleur ou à l'humidité. Pour les photos « archiviques », il est recommandé de les fixer et de les laver par le procédé conventionnel.

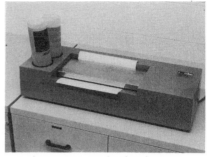

Tout le processus de développement est effectué à partir de cette simple machine (Ilfoprint Processor).

Une émulsion spéciale doit être utilisée pour le procédé de stabilisation (de marque Ilford, par exemple).

69 N'ayant pas pu utiliser, lors de la prise de vue, un filtre diffuseur, j'apprends qu'il est possible de compenser cette déficience au moment du tirage. Comment y arrive-t-on?

1) D'abord, il faudrait comprendre que les résultats obtenus avec un diffuseur, à la prise de vue, ne sont pas tout à fait les mêmes que ceux obtenus au tirage. Tout dépend de l'effet que vous désirez. L'usage d'un disque, ou filtre diffuseur, devant l'objectif, a pour effet de *disperser* la lumière lorsqu'elle frappe les petits cercles concentriques incorporés dans ce filtre. On note que certains de ces filtres sont tout à fait libres d'interférences en leur *centre* et que ces interférences ou imperfections (incorporées volontairement) prennent plus d'importance vers la bordure. Beaucoup de photographes utilisent tout simplement un écran quadrillé, de préférence en métal brillant. A peu près tous les types de diffuseurs imaginables peuvent être utilisés à la prise de vue comme au tirage. Cette pratique, qui a pour effet de rendre une image *douce* en brouillant le jet de lumière avant qu'il n'atteigne le film, ne devrait pas être confondue avec une photo *hors foyer* ou une photo qui aurait une granulation exagérée par un fort grossissement.

2) *A la prise de vue,* ce phénomène de « brouillage » ou, plus précisément, de « dispersion » de la lumière, tendra à créer une espèce de halo brillant sur le contour des plages de hautes lumières, que ce soit sur les cheveux ou tout autre objet brillant. Cette lumière, sous l'effet de la diffusion, semble déborder et s'étendre à d'autres plages de la pellicule. *Au tirage,* les hautes lumières d'une pellicule subissent très peu l'effet du filtre diffuseur; c'est plutôt dans les plages claires ou transparentes que la lumière débordera, produisant un *halo foncé* autour de celles-ci. C'est ce qui fait dire à l'imprimeur averti que la diffusion devrait toujours se faire à la *prise de vue;* la diffusion au moment du tirage, bien qu'elle adoucisse le contraste, demeurera toujours un pis-aller.

3) Généralement, à la prise de vue, on fait appel à un filtre diffuseur (ou adoucisseur) pour deux raisons principales:

a) Pour atténuer le « piqué » d'un objectif trop brutal, en ce qui a trait aux portraits de jeunes filles, par exemple, et surtout pour masquer certaines imperfections de la peau, ou encore pour donner un air rêveur ou nostalgique; on dit même que ça rajeunit une personne de plusieurs années . . .

b) Dans le cas d'un beau paysage auquel on voudrait donner une atmosphère champêtre, vieillotte ou poétique.

Saviez-vous qu'en l'absence d'un tel filtre, une belle grosse empreinte digitale (le pouce de préférence), en plein centre de la lentille se révèle être un excellent moyen de diffusion? Il ne faut cependant pas oublier de l'essuyer pour les photos.

4) Une chose est à retenir: plus un filtre est près de la lentille, plus son pouvoir de diffusion est grand. Il est à déconseiller (à la prise de vue) de faire usage d'un filtre à diffusion sur un objectif *grand-angulaire,* surtout si vous diaphragmez à f/16: vous risquez, à coup sûr, de voir apparaître la grille de celui-ci en foyer sur votre pellicule, vu la grande profondeur de champ d'un tel objectif.

5) Parmi les types de diffuseurs classiques, on note: une feuille de cellophane claire qui aurait été *froissée,* puis redressée, un mor-

ceau de coton à fromage, un tamis, une trame à grain, un bas de nylon etc.

6) Une autre pratique ne nécessitant aucun accessoire consiste à exposer un négatif parfaitement en foyer à l'agrandissement pour les deux tiers de son temps de pose régulier et à le mettre sensiblement *hors foyer* pour l'autre tiers de l'exposition. Un moyen plus simple encore: souffler de la fumée dans le faisceau lumineux de l'agrandisseur, faire de la buée sur la lentille avec son haleine ... Retenez bien que tous les accessoires utilisés devront être constamment en mouvement devant l'objectif, afin que les imperfections ou la marque des grilles du filtre n'apparaissent pas sur l'épreuve.

1), 2) et 3) Trois types de diffuseurs conçus pour la prise de vue mais qui peuvent aussi être utilisés au tirage.

4) Deux types de diffuseurs « maison » fabriqués à partir de différents textiles.

183

On peut effectivement apporter un certain degré de correction à une perspective défectueuse à l'aide d'un agrandisseur. Quant à savoir si cette correction sera totale, cela dépend d'une part de la façon dont la prise de vue a été réalisée et, d'autre part, de l'agrandisseur lui-même.

Dans quels cas peut-on éprouver le besoin de modifier une perspective? L'exemple le plus fréquent est celui de la photographie d'architecture. Dans ce genre de travail, on manque souvent de recul et l'on doit incliner l'appareil vers le haut (prise de vue en contre-plongée) pour inclure le sommet de l'édifice. Ce faisant, les verticales convergent vers le haut, ce qui a souvent un effet désagréable sur le résultat.

Pour éviter cet effet de convergence, à la prise de vue, il n'y a que deux moyens: soit tenir l'appareil droit, c'est-à-dire que le plan du film doit être vertical, soit avoir un objectif spécialisé dont la partie frontale peut être déplacée (décentrement).

Je suppose que, aucune de ces deux conditions n'ayant pu être remplie, vous avez un négatif dont vous voulez corriger la perspective. Voici la méthode à suivre. On place le négatif dans le porte-négatif. Si vous possédez un agrandisseur dont on soulève la boîte de lumière pour introduire le porte-négatif, vous pourrez *incliner* le porte-négatif et le caler dans cette position. Il

faut soulever le côté du négatif qui porte *la base* de l'édifice.

On soulève ensuite le margeur, toujours du côté où se forme l'image de la base de l'édifice, jusqu'à ce que les verticales soient parallèles (ou selon l'effet recherché) et on le cale dans cette position. Dans ces conditions l'image sera floue sur la majeure partie de sa surface. On fait alors la mise au point sur la zone de l'image située au ⅓ *supérieur du margeur* puis on ferme le diaphragme à *la plus petite ouverture*. On fait une épreuve pour vérifier la netteté. Si celle-ci ne s'étend pas aux extrémités, il faut diminuer l'inclinaison du margeur et accepter u n e correction moindre de la perspective.

Quant à l'exposition, elle devra être plus courte du côté qui a été soulevé. On le masquera donc avec la main qu'on déplacera progressivement vers le bord surélevé du margeur.

Enfin si l'agrandisseur ne permet pas d'incliner le porte-négatif, seul le margeur sera incliné mais de façon moindre et la correction sera elle-même moins prononcée.

(Roland Weber)

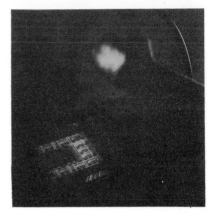

Roland Weber.

Un exemple type de la «solarisation» sur papier durant le processus de développement de l'épreuve discuté à la question # 72.

CHAPITRE 6

tirage à effets spéciaux

71 J'aimerais avoir quelques explications sur les techniques de VIRAGE (toning) des épreuves en noir et blanc, et savoir pourquoi on ne vend pas d'émulsions photographiques de différentes couleurs.

1) Virer une image signifie tout simplement changer la couleur de l'*image argentique* d'une épreuve en une autre qui ajouterait (présumément) plus de chaleur et de sensibilité à celle-ci, et cela, par des moyens purement chimiques. On se souvient de ces anciennes photos « sépia » du temps de nos grands-parents qui, selon les méthodes de développement d'alors, donnaient toujours des images très chaudes. Il existe, encore aujourd'hui, de ces émulsions dites à tons *chauds ou froids* qu'on utilise tant bien que mal pour ajouter une certaine valeur esthétique à nos images; on peut donc, suivant le cas, rendre ces tons encore plus chauds, en virant complètement l'image. Il faut cependant s'assurer que ce *virage* soit conforme au contenu de l'image. Ainsi, un portrait *viré* en brun or ou en sépia est beaucoup plus réaliste pour l'épiderme que s'il était viré en un quelconque ton de bleu. De même lorsqu'il s'agit d'une scène d'hiver, qu'on n'oserait pas *virer* en autre chose qu'en bleu. Mais, les choses étant ce qu'elles sont, il s'en trouvera toujours un pour la virer en sépia... C'est d'ailleurs là qu'on peut juger du manque de finesse de l'amateur qui *vire* sans discernement juste pour le plaisir de *virer*. Les solutions pour virage sont disponibles en une grande variété de couleurs. Cependant, il existe deux modes de virage: soit par un *blanchiment* de l'image suivi d'un *noircissement*, soit par virage direct au *sulfide*.

2) La pratique du virage est relativement facile, mais elle se doit d'être conduite dans des conditions de *propreté* extrêmes et avec des solutions de développement TOUJOURS fraîches (il s'agit ici de l'épreuve en noir et blanc *avant le virage*). J'insiste sur le fait que, si elle souffre le moindrement d'*un manque d'agitation*, de fixage ou de lavage, elle comportera, lors du virage, des défauts qui vous donneront de pénibles maux de tête. Donc, l'épreuve à virer doit être *totalement développée*, montrant des noirs francs (même sensiblement *plus noirs* qu'à l'ordinaire), et ne doit comporter *aucun* voile grisâtre sur ses bordures. Travaillez avec des gants ou des pinces, de manière à ce que vos doigts ne viennent pas en contact avec l'épreuve.

3) La photo à virer « sépia », après un lavage complet d'une heure, est plongée dans une première solution contenant du ferricyanure de potassium et du bromure de potassium, et qui a pour fonction et effet de blanchir presque complètement l'image en dedans de 2 minutes. Suit un rinçage de 2 minutes à l'eau courante, question de laver

la teinte jaunâtre qui imbibe l'ensemble de l'épreuve; ensuite, plongez de nouveau votre épreuve dans la deuxième solution, constituée de monosulfure de sodium, où, en moins de 90 secondes, l'image réapparaîtra, virée, en des tons chauds « sépia ». De cette dernière étape, on dit, dans le langage du métier: l'image est « sulfurée ». Viennent ensuite les étapes normales et finales, soit le lavage (30 minutes), le séchage, etc.

4) A ce stade-ci, plusieurs s'empresseront de sortir du labo pour respirer un peu d'air pur ... car les produits chimiques employés dans ce processus dégagent une odeur nauséabonde (genre œufs pourris) qui vous fait subitement prendre conscience de l'importance d'une bonne ventilation. Je vous conseille fortement de ne pas jeter ces produits chimiques dans les renvois, car l'odeur persisterait; videz-les plutôt dehors; enterrez-les, même. De toute façon, les produits chimiques dilués et «usés» ne se conservent pas après usage. Pour le *virage en direct,* l'épreuve est plongée dans une seule solution qui mettra plusieurs minutes *à virer;* on stoppera ce virage lorsqu'il aura atteint le degré désiré (soit bleu ou or). Généralement, le virage *en direct* ne nécessite pas de blanchiment; rappelons que, pour le virage au chlorure d'or, il s'agit bien d'un véritable « placage » de chacun des grains argentiques de l'émulsion, ce qui garantit une longévité accrue à l'épreuve.

L'épreuve est déposée dans le bain de blanchiment jusqu'à disparition de l'image à 90% (environ une minute, puis rincée pendant deux minutes et finalement déposée dans un autre bain dit de « virage », où, après trois ou quatre minutes, elle prendra sa teinte brune (sépia). Attention, ne pas utiliser de durcisseur dans le fixateur lors du tirage ordinaire, car l'opération de « virage » serait rendue bien difficile!

Imaginez cette photo brune!

72

J'arrive difficilement à faire le partage entre les différentes techniques dites « séparation de tons », « haut contraste », « solarisation », « postérisation », « isohélie ». Pouvez-vous m'éclairer davantage sur ces opérations à effets spéciaux?

1) Ce sont toutes, en effet, des techniques de finition d'épreuves dont les résultats — plus ou moins contrôlables — donnent parfois des effets assez spectaculaires. On croit faussement avoir découvert la « solarisation » depuis une dizaine d'années — et Dieu sait si on l'utilise à toutes les sauces —, alors qu'elle fut découverte, en réalité, par un homme de science français, Armand Sabattier, vers 1962. Par suite d'un « accident » de développement, il constata qu'une image négative se transformait en un *positif partiel* si elle était exposée à la lumière durant le développement. Man Ray, photographe bien connu, fut, semble-t-il, le premier, vers les années 30, à utiliser cette technique pour des fins « artistiques ».

2) La *postérisation* ou *isohélie* (pour francophones) n'est, en fait, que le prolongement de la *solarisation* par une ou plusieurs solarisations subséquentes effectuées sur d'autres feuilles de film. Le procédé a toujours lieu à partir d'une pellicule dite à *« haut contraste »* comme le *Kodalith Ortho Type* **3** de la firme Kodak, sur lequel on projette l'image d'une pellicule ordinaire. Si ce film Kodalith était développé de façon conventionnelle (sans réexposition à la lumière blanche durant le développement), on obtiendrait une pellicule positive à *haut contraste* qu'il suffirait de

réimprimer par projection par *contact direct* (deux fois) pour obtenir une épreuve finale à haut contraste, d'ou les tons intermédiaires de gris seraient disparus. Voilà pour la technique des hauts contrastes. Quant à la *séparation des tons* (discutée à la question no 78), le principe consiste à produire une épreuve finale par *juxtaposition* de trois pellicules qui auraient reçu des temps d'exposition différents, et ceci, en parfait « registre ».

3) On peut pratiquer la solarisation sur papier si on le désire (cette méthode est d'ailleurs décrite à la question no 73—82). Voici brièvement les étapes à suivre pour obtenir une *pellicule solarisée*.

a) Choisir un négatif ordinaire (donc à tons continus) très net, très précis et peut-être un peu plus contrasté qu'à l'ordinaire.

b) Le film Kodalith étant insensible au rouge, on utilisera une lampe de sécurité rouge. Le film Kodalith est disponible en format 35 mm [24 x 36], 4 x 5 et 8 x 10 [10 x 12,5 et 20,5 x 25,5 cm].

c) On insère notre film 35 mm [24 x 36] dans l'agrandisseur; grossissement, mise au point et cadrage se font comme pour une épreuve noir et blanc ordinaire.

d) Je choisis de faire le tirage sur une feuille de film Kodalith de format 4 x 5 [10 x 12,5 cm] et mon temps de pose sera de 10 secondes, diaphragme à f/11.

e) Le film est plongé dans le révélateur Dektol (habituellement pour papier) et ce plat à développement est placé juste à côté de l'agrandisseur.

f) Pendant que le film commence à développer, j'en profite pour enlever le négatif et le porte-clichés de l'agrandisseur qui, bien sûr, est éteint.

g) Environ 10 à 15 secondes après que l'image positive ait commencé à apparaître dans le révélateur, je prends le plat qui contient le film Kodalith et le *place sur le margeur;* puis j'allume la lampe de l'agrandisseur (diaphragme toujours à f/11) pour une réexposition de 15 secondes qui, elle, « solarisera » mon film Kodalith.

h) Les 15 secondes terminées, j'éteins la lumière; déjà je constate

que mon film Kodalith noircit rapidement jusqu'à ne plus voir d'image du tout. Encore 30 secondes de développement et c'est tout.

i) Toute l'opération ne devrait pas durer plus d'une minute . . .

j) Rapidement le film est rincé, puis déposé dans le fixateur. Après 2 minutes, j'allume la lumière blanche.

4) A noter que, durant le dévelopment, il ne faut pas agiter exagérément et que, durant la *réexposition* sous l'agrandisseur, le film Kodalith doit être immobile. A l'examen de la pellicule, positive Kodalith, sous une lampe assez forte, vous constaterez qu'elle est « solarisée ». Reste maintenant à faire un *négatif* de celle-ci en procédant par contact; ce négatif, à son tour, sera imprimé par contact ou par agrandissement pour obtenir l'épreuve finale sur *papier.*

73 Quelle est l'approche la plus simple de la solarisation directe sur papier?

Si la solarisation directe sur papier n'est pas l'approche la plus souple de cette technique, celle qui permet le plus de variations, du moins présente-t-elle l'avantage de pouvoir être réalisée facilement avec l'équipement et la matière première que l'on trouve dans tout laboratoire d'agrandissement.

En quelques mots, à l'intention de ceux qui ne sont pas familiarisés avec cette technique, la solarisation consiste à *voiler* les parties pâles d'une image photographique, négative ou positive, en l'exposant en cours de développement à une lumière actinique blanche ou colorée. Il se produit alors essentiellement deux choses: une *inversion* des zones voilées (elles deviennent négatives si elles étaient positives) et la formation d'une *ligne* de démarcation blanche, la ligne de Mackie. Dans certains cas les tonalités inversées conservent leur modelé, dans d'autres, un gris uniforme les remplace.

Le seul équipement particulier est une lampe munie d'une ampoule de faible puissance (15 watts), placée à environ 48" de la cuvette de développement. J'utilise une ampoule de faible puissance afin d'avoir des temps de solarisation relativement longs, ce qui m'assure plus de précision dans mes contrôles. De plus, il faut placer une cuvette d'eau à côté de celle du révélateur car on obtient des tonalités plus uni-

formes lorsque l'épreuve est dans l'eau durant la solarisation.

Pour la réalisation je procède de la façon suivante:

Je sélectionne un négatif très contrasté, car aucune méthode de solarisation ne donne de bons résultats avec un négatif doux. Si la prise de vue est faite en vue d'une solarisation ultérieure il est bon d'en réaliser des négatifs contrastés en surdéveloppant la pellicule de 50% environ.

Je fais un agrandissement sur papier, légèrement sous-exposé. Après une minute de développement l'épreuve est transférée dans la cuvette d'eau où elle est agitée durant 30 secondes: ceci neutralise l'action du révélateur. La lampe, placée au-dessus de la cuvette d'eau, est alors allumée durant un temps déterminé. Puis l'épreuve retourne au révélateur pendant une durée variant de 45 secondes à 1 minute et 15 secondes. Je termine par les étapes subséquentes habituelles.

Les résultats sont très différents selon la *gradation* du papier utilisé. Avec une gradation moyenne, l'image solarisée est très sombre et sans contraste (fig. 2). Il est nécessaire alors de la traiter dans une solution de faiblisseur de Farmer (fig. 3). Si l'on utilise du papier dur (Ex. Brovira #6) l'image est aussi très sombre mais la ligne de Mackie devient très visible (fig. 4). Par contre le modelé disparaît presque totalement. En faisant varier les paramètres principaux on constatera que cette technique offre quand même des surprises.

1) Epreuve non solarisée.
2) Solarisation sur papier de gradation moyenne.
3) Même épreuve, après traitement dans le faiblisseur.
4) Solarisation sur papier de gradation «extra-dur».

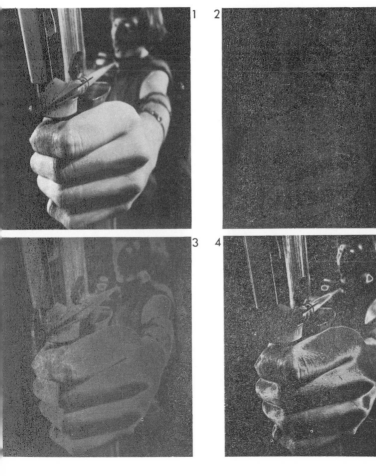

1) On appelle haut contraste une image photographique dans laquelle on a remplacé toutes les valeurs de gris habituelles par les seules valeurs extrêmes du blanc et du noir. On aboutit ainsi à une schématisation de l'image initiale qui peut présenter un intérêt visuel plus fort que celui d'une photographie conventionnelle.

2) La technique de base est sans complication pour quiconque sait exécuter convenablement un agrandissement noir et blanc. Il ne s'agit que d'acheter la matière première appropriée:

a) *La pellicule:* on la trouve chez les fournisseurs de matériel d'arts graphiques, et il existe plusieurs marques de commerce: Vacolith, Kodalith, Reprolith, Agfalith (1), etc. Le conditionnement est, en général, en boîtes de 25 ou 50 feuilles dans les formats usuels. Si le laboratoire est éclairé avec de la lumière rouge, les diverses variétés des marques ci-dessus conviennent. Si l'éclairage est *jaune,* seule la variété *«contact»* est adéquate (même pour l'agrandissement).

b) *Le révélateur:* il est *indispensable* d'utiliser le révélateur conçu pour ce genre de pellicule. Le conditionnent sous forme liquide est plus pratique d'emploi. Ce type de révélateur étant toujours présenté en deux solutions différentes, géné-ralement codées «A» et «B», on suivra soigneusement les indications du fabricant quant aux proportions à utiliser. La durée du développement est en général de 2½ minutes à 68 °F [20 °C], mais je recommande un développement plus court (1½ minute).

3) Le travail consiste tout simplement à réaliser un agrandissement sur cette pellicule haut contraste tout comme on le ferait sur du papier. On peut donc utiliser toutes les ficelles du métier, atténuation renforcement, etc., à l'exception bien entendu, des filtres à contraste. On obtient ainsi un positif sur support transparent dans lequel il y aura des zones très denses, d'autres complètement transparentes et séparant celles-ci de celles-là, des régions brunâtres de densité variable. Ces dernières disparaîtront à la deuxième étape.

4) Il faut quelque temps avant de se familiariser avec l'apparence nouvelle de ces diapositives grand format, et avant d'être capable de faire une évaluation sûre du résultat. Un haut contraste bien réalisé doit être *lisible,* c'est-à-dire que les éléments qui le structurent doivent être reconnaissables.

5) Un avantage de ce genre d'image est qu'elle peut être retouché considérablement et sans difficulté

---

(1) Noter le suffixe « lith » qui est caractéristique de ce matériau à contraste extrême.

es détails transparents, jugés inutiles, sont bouchés avec une gouache appelée «opaque». A l'opposé, une ligne qui devrait être transparente, mais qui a été bouchée par surexposition, peut être grattée avec la pointe d'un «exacto».

6) Lorsqu'on juge que l'on a réalisé un bon positif, on le copie par contact sur le *même* type de pellicule pour obtenir une image négative qui, après une nouvelle retouche si cela s'avise nécessaire, sera, elle aussi, tirée par contact sur une feuille de papier photographique pour donner le résultat final. Le papier, lui, sera du type conventionnel. Il suffit de donner une exposition généreuse afin d'obtenir un noir très profond.

7) Un mot de mise en garde pour terminer: le négatif original doit être lui-même *bien contrasté* et *détaillé*. Ne perdez pas de temps avec un négatif trop doux ou sousexposé.

(Roland Weber)

75

Comment peut-on réaliser un agrandissement à images multiples?

1) Il existe deux approches entièrement différentes, tant sur le plan de la réalisation technique que du point de vue de l'effet visuel final. L'une consiste à exposer *en succession* et sur la *même* feuille de papier, deux ou plusieurs négatifs appropriés; l'autre, à agrandir *en une seule* fois un sandwich composé de deux ou plusieurs négatifs.

2) Le principe général de la première méthode est le suivant: un des négatifs est agrandi sur une feuille de papier photographique. L'image qu'il donnera doit comporter une *zone blanche,* donc peu ou pas exposée, et c'est dans cette zone qu'une portion du deuxième négatif sera ensuite tirée.

3) Du point de vue pratique, on procède de la façon suivante:

a) On projette l'image du premier négatif comme pour en faire un agrandissement original, et on réalise tous les tests pour trouver le temps de pose correct ainsi que le filtre à contraste adéquat. Il est recommandé d'utiliser le papier à contraste variable, parce qu'il permet de choisir le filtre à contraste le mieux adapté aux différents négatifs.

b) On expose une feuille de papier selon ces données, puis on la met de côté dans une boîte hermétique, après avoir pris soin de marquer au verso *son orientation sur le margeur* (ceci est indispensable).

c) Sans déplacer le margeur, on y place une feuille de papier quelconque sur laquelle on dessine le contour de la zone blanche dans laquelle le deuxième négatif sera tiré. Cette feuille reste temporairement sur le margeur.

d) On change de négatif et on refait le cadrage pour la deuxième image, de façon que la portion choisie soit projetée dans la zone dessinée sur la feuille de papier.

e) On fait, pour le deuxième négatif, les tests d'exposition et de contraste.

f) La feuille de papier déjà exposée est alors replacée sur le margeur avec *son orientation initiale,* on l'expose et on la développe.

4) La principale difficulté peut surgir lors de la deuxième exposition et dépend exclusivement de la façon dont le négatif a été réalisé. Si au moment de la prise de vue, le sujet à insérer a été isolé complètement sur un *fond blanc très éclairé,* l'agrandissement ne présentera aucune difficulté. En effet, sur le négatif, le fond sera entièrement noir et seule l'image sera enregistrée sur le papier.

5) Dans le cas contraire, il faut découper un cache dans une feuille de carton pour masquer, durant l'exposition, les parties du négatif non désirables (voir question sur le renforcement et l'atténuation, no 53 et 54). Bien entendu, le résultat dépend de la maîtrise technique de l'opérateur...

6) Les étapes principales de la deuxième approche sont réalisées à la prise de vue et consistent à exposer plusieurs négatifs d'un sujet se déplaçant devant un *fond noir non éclairé*. Ces négatifs sont ensuite superposés, placés dans l'agrandisseur et tirés. En raison de l'épaisseur de ce «sandwich» de plusieurs négatifs, il est nécessaire d'utiliser une petite ouverture de diaphragme pour obtenir une netteté satisfaisante de toutes les images.

(Roland Weber)

1) Tracé de la zone blanche.
2) Exposition du 2e négatif.
3) Résultat final.

1

2

3

76

Quelle est ou quelles sont vos techniques pour obtenir un effet de grain exagéré, lors du tirage des photos?

1) Il est assez remarquable de constater qu'il n'y a pas très long-temps, tous les usagers du petit format 35 mm [24 x 36] (et même 2¼ x 2¼; 6 x 6 cm) n'avaient qu'une préoccupation en tête: combattre ou réduire au maximum l'apparence du grain sur les épreuves. Comme les temps ont changé! C'était l'époque où le grain était un défaut. Aujourd'hui, on a inventé mille et une méthodes pour l'exagérer, et même nos savants « directeurs artistiques » ou éditeurs des grandes publications actuelles font appel à des trames spéciales pour incorporer une structure de grain dans une photo qui n'en a pas au départ. Dans certains cas, j'avoue que ce grain devient un atout très flatteur et très « dans l'vent ».

2) Je crois qu'il n'est pas tout à fait juste de dire que le grain est créé au tirage — à moins que ce ne soit par la méthode des trames qui ajoutent du grain. Celui-ci est intrinsèque à l'émulsion négative, et on peut en obtenir jusqu'à saturation, en suivant les conseils ci-dessous qui découlent tous d'une technique de prise de vue et de développement des pellicules, effec-tuée de façon anormale.

a) La meilleure technique, à mon avis — je l'utilise couramment quand c'est nécessaire —, consiste à exposer mon film TRI-X à 3200 ou 6400 ASA . . . et à le développer dans un révélateur HC 110 (Ko-dak) dilué à 1 pour 12 à une tem-pérature de 90 degrés F (32.2 °C) pendant 10 ou 12 minutes. Ces films plutôt contrastés, faibles et révélant un voile chimique assez visible, sont toujours imprimés sur papier Agfa Gevaert Brovira #5 ou #6, qui rehaussent encore plus l'effet de grain et de contraste.

b) viennent ensuite toutes les émul-sions ultra-rapides, tels le Kodak Recording Film à 3000 ASA, le Royal-X (Kodak) à 2000 ASA, tous deux développés dans le Dek-tol pur, pendant 6 minutes à 75 de-grés F [23.9 °C], et le fameux Iso-pan Record, exposé à 1600 ASA et développé dans le Rodinal à 1 pour 50, pendant 20 minutes à 72 de-grés F [22.2 °C], etc.

c) Notons que tous les films sur-exposés et surdéveloppés offrent toujours une granulation exagérée. Par contre, il est presque inutile d'espérer obtenir du grain à partir des types d'émulsion « à granula-tion très fine », comme le Panato-mic-X, par exemple.

3) Si vous n'êtes pas satisfait de ces « déviations » de prise de vue, vous pouvez toujours faire appel à des techniques plus sophistiquées comme l'usage de sel très fin que l'on dépose sur le papier sensible juste avant la projection (exacte-ment à la manière dont on sale notre bifteck). Une fois développé 'effet de grain (blanc plutôt que noir) ne manquera pas d'être intéressant. Un effet analogue consiste à utiliser une bonbonne de fixatif (qu'emploient les maquettistes ou les graphistes) que l'on vaporise sur la feuille sensible (avant la projection, après la mise au point) et qui donnera aussi un effet assez spectaculaire.

4) Vous pouvez fabriquer vous-même une trame à grains, en photographiant une feuille de carton gris (Kodak Neutral Density Card) et, après le développement normal, vous la projetterez sur une feuille de Kodalith Ortho Type 3, 8 x 10 pouces « 20,5 x 25,5 cm»; vous obtiendrez ainsi un excellent négatif à grain qui sera utilisé ultérieurement — en contact — avec vos photos 8 x 10 [20,5 x 25,5 cm] à l'agrandissement.

5) Il y a bien aussi la « RETICULATION » volontaire, laquelle est discutée à la question no 124, outre toutes les textures artificielles (pour simuler les effets de grain) employées couramment, dont je décris les modes d'emploi à la question no 77

Bien qu'à peine perceptible sur cette reproduction (perte de 25%), on note une apparence de grains réalisée en salant généreusement l'épreuve (avec du sel, bien sûr), juste avant l'exposition. Il est bien évident que les grains de sel sont reproduits blancs.

77

Lorsqu'on utilise une trame ou une pellicule « texturée », est-il préférable de la mettre en contact avec le négatif dans l'agrandisseur ou en contact avec la feuille de papier sensible sur le margeur?

1) Chacune des deux méthodes comporte des avantages. La première méthode (contact avec le film) suppose tout naturellement que le « motif » ou le « grain » de cette pellicule sera amplifié proportionnellement au rapport de grossissement, ce qui, dans certains cas, peut être un avantage, alors que, dans l'autre — parce qu'il est démesurément gros — il tend à supplanter l'image même de l'épreuve.

2) Pour le contact avec la feuille sensible, il faut s'assurer justement que cette trame offre un « bon contact », sinon on verra apparaître une image difforme avec des espèces de « poches » hors foyer un peu partout. La meilleure façon d'obtenir un contact parfait est de déposer la feuille de papier sensible sur une fine couche de « foam » de ¼ de pouce [0,6 cm] d'épaisseur et d'appuyer fermement avec une vitre épaisse . . . sans poussière, évidemment.

3) La variété des matériels pouvant être utilisés pour cette technique de tirage est infinie . . . et ne s'arrête qu'à la limite de l'imagination du photographe. Pour n'en nommer que quelques-uns, notons le nylon, les papiers Kleenex, tous les papiers suffisamment minces et fibreux qu'on peut mettre en contact avec une feuille sensible. Le matériel utilisé en contact avec le film dans l'agrandisseur, devra être placé au-dessus du film et pressé en sandwich. Il est préférable de diaphragmer un peu plus qu'à l'ordinaire, afin d'assurer une mise au point égale sur le film et sur le matériel. Par contre, le temps d'exposition augmentera inévitablement selon l'épaisseur du matériel; c'est pourquoi on doit souvent utiliser une lampe plus forte (une #213 de 250 watts).

4) Il semble que cette technique trouve son application plus particulièrement dans le domaine du portrait, où il devient impossible de procéder à une retouche sur la pellicule qui est trop petite, ou encore avec certaines pellicules égratignées de façon irréparable et dont les défauts sont absorbés et rendus moins visibles par une trame appropriée. Plus encore, l'usage d'une trame améliorera le « piqué » d'un négatif sensiblement hors foyer. Les yeux qui regardent une telle photo ignorent inconsciemment ce hors foyer, intéressés qu'ils sont par la netteté et le piqué de la trame. D'autres même amélioreront le contraste d'une pellicule faible. C'est pourquoi il est essentiel de choisir une trame comportant une texture conforme à la nature de la pellicule et de son sujet. Avec l'expérience, on constatera que les négatifs qui se prêtent le mieux à cette opération sont ceux qui présentent une gradation uniformément douce. Les pellicules trop contrastées absorbent le grain ou le motif de la trame dans les plages des hautes lumières. Ces opérations sont, à mon avis, celles qui, peut-être, offrent le plus de possibilités d'expérimentation et d'exercice d'imagination.

5) Au lieu de vous procurer ces textures toutes faites et très chères, merci (environ $15 la feuille 8 x 10: approx. 75 F la feuille de 20,5 x 25,5 cm), vous pouvez les fabriquer vous-même en photographiant les motifs de votre choix, vous assurant que la densité est relativement faible, c'est-à-dire une exposition normale suivie d'un sous-développement. Ces textures maison ne manqueront pas d'apporter un cachet personnel à vos épreuves. Quant à moi, l'idée d'utiliser une texture commune que tous les autres photographes emploient, ne me plaît pas du tout; ça manque un peu beaucoup d'exclusivité!

Trame de grains.

A noter que le sujet peut tout aussi bien être photographié directement à travers une moustiquaire, comme ici.

Même l'écran de télévision recèle une trame qui fait disparaître ... tous les défauts.

La séparation de tons, que les anglo-saxons appellent « Posterizing », est issue directement du haut contraste, décrit antérieurement, et présente quelques raffinements un peu plus complexes. Alors que dans le haut contraste on ne réalisait qu'un seul négatif séparant les blancs et les noirs, dans la séparation de tons il faut obtenir *trois* négatifs qui permettront d'avoir une image finale comportant du blanc, deux valeurs différentes de gris et un noir. Tous ces tons sont des *aplats,* le modelé étant éliminé comme pour le haut contraste.

Je ne décrirai ici que les aspects pertinents de cette technique, tous les éléments de base ayant déjà été discutés dans le cadre du haut contraste.

Ayant choisi un négatif bien contrasté, mais présentant *une gamme étendue* de densités, on en exécute trois positifs sur pellicule à haut contraste. L'un d'eux aura les mêmes caractéristiques que celui décrit dans la technique du haut contraste, et je recommande de commencer par celui-ci. Il servira de base pour calculer le temps d'exposition des deux autres. Ainsi le deuxième positif sera exposé deux ou trois fois *moins.* On ne cherche à enregistrer que les détails les plus foncés du sujet. Quant au troisième, il sera au contraire exposé environ cinq fois plus. Ce positif sera presque entièrement noir et seules seront transparentes les zones re-

présentant les blancs et les gris très pâles de l'image. De ces trois positifs on tire, par contact, trois négatifs à haut contraste.

La partie la plus délicate réside dans la *mise en repérage* de ces trois négatifs. Il faut disposer d'une vitre d'environ 10 x 12 pouces [25 x 30 cm], si les négatifs mesurent 8 x 10 pouces [20 x 25 cm], et que l'on éclaire *par en dessous.* Le négatif le plus foncé est fixé au centre de la vitre par du ruban adhésif, collé tout le long *d'un seul côté.* Le négatif moyen est placé sur le premier et est amené en repérage aussi parfait que possible. Je ne cacherai pas que le travail est délicat, mais la qualité du résultat dépend de la précision de ce repérage. Ce négatif est alors collé de la même manière mais sur un *côté différent.* On procède de façon semblable pour le troisième négatif.

Les bandes de ruban adhésif agissant comme charnières, chacun des trois négatifs doit pouvoir être tourné comme les pages d'un livre dans trois côtés différents et ne doit pas gêner le mouvement des autres. Pour cela il faudra probablement rogner légèrement quelques-uns des côtés des divers négatifs.

Pour le tirage final, on place, sous l'agrandisseur, la vitre et ses trois négatifs. Une feuille de papier photographique est collée au centre de la vitre, les trois négatifs étant ouverts comme des volets. Le négatif *le plus transparent* est rabattu sur la feuille de papier (on peut mettre une vitre par-dessus) et on donne une courte exposition pour obtenir un gris assez pâle (ces expositions doivent être déterminées par des tests préalables). Le négatif est relevé, le négatif moyen prend sa place et l'on expose pour obtenir un gris plus foncé. Enfin le négatif très noir remplace le précédent, l'exposition peut être très forte puisqu'elle doit donner le noir maximum. Le papier est alors enlevé et développé et vous obtenez une séparation de tons (voir section couleur).

(Roland Weber)

Positif du noir

Positif du gris moyen.

Positif du gris clair.

Séparation finale de tons.

203

1) Un bas-relief (paraglyphe) est une image photographique dont toute apparence de *modelé* a presque disparu pour faire place à quelques valeurs *uniformes* de gris qui sont toutefois soulignées par une ligne noire. Son apparence est alors assez semblable à celle d'un bas-relief sous un éclairage frisant.

2) La technique de réalisation est fort simple et ne requiert aucun équipement sophistiqué ni aucune compétence technique exceptionnelle. A partir du négatif choisi, on réalise, par contact, un positif sur support transparent. Négatif et positif sont superposés, mais au lieu de mettre les deux images en repérage parfait, elles sont, au contraire, *légèrement décalées*. C'est dans cette position qu'elles sont agrandies.

3) Pour la description de la matière première utilisée, je renvoie le lecteur à la question traitant de l'agrandissement négatif. Le positif sera exécuté sur cette même pellicule « fine grain positive » #7302.

4) L'effet final pourra néanmoins avoir plusieurs variations. D'une part, la façon dont le décalage entre positif et négatif sera fait, entraînera des modifications dans *l'épaisseur* et dans la *position* de la ligne noire.

5) D'autre part, le contraste du positif réalisé aura une grande influence sur la polarité de l'image finale. Si le positif est plus con-trasté que le négatif, l'image résultante sera négative. Elle sera positive dans le cas contraire. On agira donc sur le contraste du positif par le choix du révélateur et la durée du développement.

6) Si cette technique ne présente pas de difficultés insurmontables, elle laisse néanmoins une assez grande marge d'interprétation.

Roland Weber.

Négatif original.

Diapositive obtenue par contact.

Bas-relief.

80 Quelle est la meilleure méthode pour faire un agrandissement négatif?

1) Certains sujets, en raison de leur structure ou de leur nature, peuvent être parfois rendus visuellement plus intéressants s'ils sont traités de façon abstraite plutôt que par une reproduction objective. Une façon d'abstraire un aspect de notre environnement consiste à représenter ses valeurs optiques sous une forme négative.

2) Il faut donc partir d'un positif sur support transparent (une diapositive noir/blanc), plutôt que d'un négatif habituel. La réalisation de ce positif est rendue fort simple grâce à une pellicule de la compagnie Kodak dont la manipulation et le traitement ne présentent aucune difficulté. Il s'agit de la pellicule « fine grain positive » #7302, disponible sous conditionnement de 25 feuilles minimum, au prix approximatif de $3. Le fait qu'elle ne soit fournie qu'en feuilles ne présente pas de handicap, puisqu'elle peut facilement être coupée au format désiré, sous une lumière de laboratoire.

3) Comme il s'agit d'une pellicule *non chromatisée,* on peut la manipuler sous le même éclairage de laboratoire que celui utilisé pour le papier (jaune OA, jaune OC, ou rouge R). De plus, on la traite dans le révélateur papier ordinaire (Dektol ou Christie-Vac V-53) durant 2 minutes. Si le contraste obtenu est trop élevé, il est recommandé d'utiliser le révélateur D-76 pendant 4 à 10 minutes. Dans le cas contraire (qui est fort rare), on emploiera le révélateur D-11 durant 10 minutes.

4) On procède donc de la façon suivante: on découpe un morceau de pellicule que l'on met en contact, *émulsion contre émulsion*, avec le négatif sélectionné. On place ce sandwich sous une vitre (propre, sans poussière et sans rayure), sous l'objectif de l'agrandisseur. On expose. Quelques essais permettront de déterminer l'exposition correcte: à titre indicatif, la rapidité de cette émulsion est approximativement la moitié de celle du papier Kodabromide, gradation #2. Puis on développe. La diapositive ainsi obtenue sera alors agrandie sur papier pour donner une version négative de la scène photographiée.

(Roland Weber)

«Image négative réalisée selon la
méthode décrite dans le texte.»

81 Existe-t-il une méthode simple pour introduire une image de la lune dans un paysage qui n'en a pas?

C'est en effet relativement simple à condition d'avoir les ingrédients sous la main, en l'occurrence un négatif de paysage et un négatif de la lune.

Pour le premier, une scène de nuit, peut-être un panorama urbain avec les lumières des immeubles allumées, convient très bien, ou mieux encore une photo prise un peu avant la tombée de la nuit, au moment où le ciel est un peu plus clair que la silhouette sombre des immeubles. On peut également simuler un éclairage de clair de lune en plein jour en photographiant à travers un filtre rouge et en sous-exposant d'un diaphragme environ. L'important est que, sur le négatif, le ciel soit bien transparent.

Quant à la lune, elle doit être assez grande dans l'image finale pour que celle-ci ait quelque impact. La prise de vue devrait donc être faite à l'aide d'un télé-objectif aussi puissant que possible. Si toutefois vous trouvez que le diamètre de la lune est trop petit, vous pouvez, en une étape simple, obtenir un négatif agrandi de la lune, à condition que le négatif original soit bien net.

Pour cela on fait un agrandissement sur pellicule Kodak «Professional Direct Duplicating S0-015» qui nous donne un négatif agrandi aux dimensions recherchées. Il ne faut pas oublier, même si cette pellicule n'est vendue que sous forme de feuilles de format minimum 4" x 5" [9,6 x 12 cm], qu'on n'en utilisera qu'une portion ayant les dimensions du négatif 24 x 36 mm.

A défaut de cette pellicule, on peut obtenir un résultat analogue avec la pellicule Kodak «Fine Grain Positive» # 7302 qui nécessite cependant deux étapes. La première donne un positif agrandi, la deuxième, le négatif recherché, obtenu par contact avec ce positif. Dans les deux méthodes, le négatif de la lune doit montrer une image de celle-ci sur un fond transparent.

Ayant en main le négatif du paysage et celui de la lune, il ne reste plus qu'à les superposer de façon que la lune occupe un emplacement adéquat et vraisemblable dans le ciel. On agrandit ensuite le tout et c'est ainsi que l'on fait se lever la lune là où elle ne s'est jamais levée...

Bien entendu cette technique peut être utilisée pour des combinaisons d'images bien différentes de celle-ci.

(Roland Weber)

Négatif de la lune.

Négatif du paysage.

Résultat des 2 négatifs combinés.

82 La solarisation sur pellicule présente-t-elle plus de difficultés que la solarisation sur papier?

Comme dans beaucoup d'autres domaines, c'est une question de méthode et de choix des matériaux appropriés. La solarisation sur pellicule peut être très frustrante et engloutir nombre d'heures d'efforts inutiles si l'on emprunte la mauvaise voie, et il y en a beaucoup ...

Voici mes choix personnels. J'utilise deux types de pellicules noir et blanc selon le genre d'image que je veux obtenir. Si je tends vers une image très graphique, très linéaire, du genre équidensité, avec peu ou pas de modelé, j'emploie une pellicule du type «lith» développée dans un révélateur «lith» — Premier développement: 3 minutes — Rinçage 30 secondes — Solarisation 30 secondes avec une ampoule de 7½ watts à 4 pieds [120 cm] — Deuxième développement: 2 minutes.

Par contre si je veux exploiter les effets positif-négatif, accompagnés de la ligne de Mackie, si caractéristiques de l'effet Sabatier, je me sers alors de la pellicule « Fine Grain Positive » #7302 de Kodak qui donne d'excellents résultats. De plus, comme je l'ai déjà dit ailleurs, on peut développer cette pellicule en 2 minutes dans du révélateur papier et en lumière jaune! Que peut-on souhaiter de plus?

Le négatif que l'on veut solariser est tiré, soit par contact soit par agrandissement, sur du #7302 de façon à être légèrement sous-exposé. La pellicule est alors développée dans du révélateur papier durant 1 minute puis placée dans une cuvette d'eau pour neutraliser le révélateur et éviter la formation de marbrures dues à un développement inégal.

Après 30 secondes dans l'eau, l'exposition de solarisation est donnée (15 à 30 secondes avec une ampoule de 25 watts à 48 pouces [120 cm]) puis la pellicule est transférée dans le révélateur dans lequel elle est développée une autre minute.

L'effet de solarisation est très marqué. D'assez grandes variations sont possibles en décalant le moment de la solarisation: c'est entre 25% et 50% de la durée totale du développement que se situent les effets les plus intéressants.

De plus, on pourra encore obtenir des effets différents selon la gradation du papier utilisé ensuite pour agrandir les négatifs solarisés.

Essayez cette approche; vous en retirerez des heures d'expérimentation fascinante (voir section couleur).

(Roland Weber)

1) Solarisation sur pellicule de type «Lith». ►
2) Solarisation sur pellicule #7302.

210

1

2

83

Isohélie, équidensité . . . Que signifient ces termes?

Ils définissent un même type d'image photographique composée de *lignes* noires sur fond blanc, ou vice-versa, chacune de ces lignes représentant l'ensemble des points de l'image ayant une même densité optique, à la manière des courbes de niveau, sur une carte de géographie, qui indiquent les points du relief ayant une altitude identique. Il s'agit donc d'une autre forme de transposition de l'image photographique, le modelé continu faisant place cette fois à un réseau de lignes. (1)

Pour la réaliser, on utilise encore les pellicules et le révélateur du type «lith», employé dans les arts graphiques. Le négatif original étant placé sur l'agrandisseur, on en réalise deux agrandissements sur pellicule haut contraste, au format final désiré. Tout comme dans la technique du haut contraste, décrite ailleurs, on peut faire de l'atténuation ou du renforcement durant l'exposition de façon à obtenir des images bien structurées, bien lisibles.

Mais les deux expositions doivent être *légèrement différentes* car les deux positifs obtenus *ne doivent pas* être identiques comme le montrent les illustrations ci-contre. Le résultat final dépend entièrement de la différence entre les deux positifs. Si la différence est trop prononcée, les lignes résultantes seront trop larges, alors que dans le cas contraire elles risquent de disparaître.

On prend ensuite le positif *le plus exposé* (celui dont l'image noire est la plus large) et on en tire un négatif par contact sur le même type de pellicule. Après quoi on superpose ce négatif et le positif *le moins exposé,* on les met en repérage parfait et on les colle avec un ruban adhésif. La mise en repérage ne présente pas de difficulté et peut se faire sur une vitre de fenêtre. On voit alors apparaître un ensemble de lignes transparentes.

Si l'on veut que l'image finale soit faite de lignes noires sur fond blanc, l'étape suivante, terminale, consiste à faire un contact sur papier photographique ordinaire à partir du montage positif-négatif. Si au contraire on désire une image noire avec lignes blanches, il y a une étape supplémentaire qui consiste à faire aussi un contact du montage mais cette fois encore sur pellicule haut-contraste, et c'est ce résultat qui donnera l'image recherchée par un dernier contact sur papier (voir section couleur).

(Roland Weber)

---

(1) L'isohélie ne doit pas être confondue avec le paraglyphe ou bas-relief.

Positif le moins exposé.

2

Positif le plus exposé.

Négatif obtenu par contact avec le positif 2

Equidensité.

213

84

Il s'agit d'une technique fort simple qui consiste essentiellement à tirer par contact sur papier sensible une épreuve agrandie qui tient lieu de négatif. Le résultat obtenu, qui se trouve donc être un négatif papier, peut être considéré comme l'objectif final ou encore servir à nouveau pour faire un second contact sur papier, lequel donnera cette fois une épreuve positive.

Il ne faut pas s'attendre, et ce n'est d'ailleurs pas le but de cette technique, à obtenir la finesse de détail associée d'habitude à l'idée d'une «bonne photo», ni à conserver la netteté que peut avoir la photographie de base. Il se produit au contraire une perte de détails lesquels sont remplacés par une sorte de texture qui provient du support papier à travers lequel la lumière d'exposition est passée.

On se sert, pour l'exposition, d'un agrandisseur sous lequel la photographie est placée en contact avec une feuille de papier sensible, image contre émulsion, le tout étant maintenu ensemble par une vitre. Il ne faut pas hésiter à appliquer une forte pression sur la vitre durant l'exposition afin d'éviter les pertes de détail trop marquées ou trop localisées.

De plus ce procédé entraîne un accroissement du contraste. C'est pourquoi la photo de base doit, de préférence, être de contraste doux ainsi que le papier servant au tirage négatif (avec les papiers à contraste variable on aura intérêt à employer un filtre 0).

Enfin, si vous êtes habile en dessin, vous pourrez modifier ou supprimer certains détails de la photo originale. Avec un crayon à mine de plomb tendre, on retouche au verso la partie à éliminer. Afin d'évaluer le degré de retouche nécessaire, la photo est placée contre une vitre éclairée par en dessous. Le même genre de retouche peut être fait sur l'épreuve négative avant le contact final.

(Roland Weber)

Photo hors-texte, R.W.

85

En supposant que la « tête » de mon agrandisseur ait atteint son plus haut point sur sa colonne, existe-t-il un moyen de grossir l'image encore plus?

Oui, en utilisant une bonnette d'approche +1, +2 ou +3. Cela vous semble peut-être curieux, mais c'est la seule façon originale d'obtenir un supplément de grossissement. Supposons que vous ayez atteint le plafond de votre chambre noire, qu'il vous soit impossible de faire basculer à l'horizontale votre agrandisseur — pour projeter au mur — et que vous n'ayez pas pu tourner la tête de l'agrandisseur d'un tour complet sur elle-même — afin d'éviter le plateau et de projeter par terre. Si toutes ces tentatives se sont traduites par des échecs, il ne vous reste plus qu'à dévisser votre objectif et à déposer, au-dessus de celui-ci, une bonnette d'approche (face convexe vers le haut) — celle justement qu'on utilise à la prise de vue pour les gros plans — et de revisser le tout en place. L'usage d'une seule lentille (plus forte), telle la #3, est de beaucoup préférable à une combinaison d'une +1 et d'une +2. Vous faites votre mise au point comme à l'accoutumée et vous serez agréablement surpris de constater qu'avec une bonnette +3, vous obtenez environ 5 pouces [12,5 cm] supplémentaires d'image; ce « gain boni » est augmenté jusqu'à 10 pouces [25,5 cm] avec une +5. Une suggestion: faites la mise au point sur le centre de l'image et ignorez les coins; ceux-ci seront suffisamment précis en fermant le diaphragme à f/11.

L'addition de cette lunette d'approche ne change en rien votre temps de pose habituel, pas plus qu'à la prise de vue, d'ailleurs.

Ce genre de petite bonnette d'approche, ne mesurant pas plus d'un pouce ou un pouce et demi de diamètre, procurera un gain-boni.

Hors-texte.

86

On me dit qu'il est possible de réussir cet effet d'éclatement (genre zoom) aussi bien avec l'agrandisseur qu'avec un zoom, lors de la prise de vue; qu'en est-il?

C'est possible, mais pas avec tous les agrandisseurs. Cet effet, parfois très spectaculaire, qui se pratique à la prise de vue, est le résultat d'une exposition ou d'un temps de pose effectué à obturation lente, généralement de l'ordre de 1/10e de seconde, ou plus lente. Ainsi, le truc consiste à déplacer vers l'avant ou vers l'arrière — le dispositif de l'objectif zoom qui contrôle le rapprochement ou l'éloignement pendant la pose. A l'agrandissement en chambre noire, on crée un effet semblable, mais légèrement moins spectaculaire. Le truc se pratique en deux temps:

a) On procède en plaçant le « point d'intérêt » principal au centre du margeur, on allume l'agrandisseur et on n'expose *que le sujet au centre* (voir illustration ci-contre) en retenant « avec ses mains » le reste de l'image, tout en veillant à ce que les mains bougent constamment pour ne pas laisser paraître de ligne de démarcation précise.

b) En un deuxième temps — sans éteindre la lumière de l'agrandisseur —, on masque cette partie centrale déjà exposée à l'aide d'un cache épousant approximativement les mêmes contours, puis on procède à l'exposition de la partie de l'image non exposée, mais en MONTANT et en BAISSANT la tête de l'agrandisseur lentement sur une distance de 3 ou 4 pouces [7,5 ou 10 cm] aller retour — toujours en bougeant le cache. Le temps d'exposition devra être identique à celui de la première exposition. Vous serez étonné par le résultat de cette expérience, lors du développement. Les agrandisseurs dont la tête (donc l'objectif) ne se déplace pas à angle droit par rapport au margeur ne se prêtent pas à cette technique.

87 Dois-je comprendre que les termes « trucage » et « technique de tirage » veulent dire la même chose?

A mon avis, il n'y a pas de trucage, de magie ou de secrets bien gardés en chambre noire. Tout au plus pouvons-nous parler de techniques bien appliquées par lesquelles le photographe a voulu soit améliorer son épreuve, soit en changer la teneur tout simplement en la « travaillant ». Voici quelques exemples:

La scène originale.

Il s'agissait tout simplement pour le photographe de surexposer judicieusement tout ce qui entourait le sujet (vous l'avez reconnu) afin de créer un portrait « maison » ou quelque chose du genre, donc d'éliminer tout ce qui distrait du personnage très songeur... après les élections fédérales de 1972!

Cette photo se réalise très facilement en deux temps. Premièrement: exposez l'ensemble de
l'image (au tirage) tout en « retenant » (maquillage) la partie
centrale de la fleur. Deuxième-
ment: « retenez » l'ensemble de
l'image avec une cache percée
d'un trou par lequel passe l'image d'un oeil; exposition normale et développement.

Première exposition: seule la tête est exposée, le reste est « retenu » par une cache. Deuxième exposition: la tête est dissimulée par une cache et le margeur est subtilement déplacé sporadiquement à chaque laps de deux secondes.

Simple jeu de surexposition afin d'insister particulièrement sur le visage.

Le papier idéal utilisé pour des photos à haut contraste.

Scène originale.

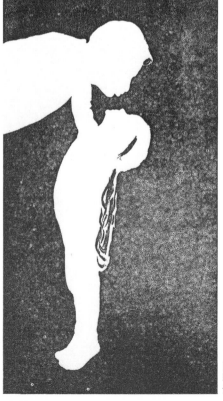

Première épreuve négative sur Kodalith Ortho Type 3 avec retouche dans les cheveux.

Epreuve finale avec quelques re-touches.

La photo originale.

Un bien mauvais tour à jouer
à une bonne amie. Il s'agit d'ex
poser l'image sur le margeu
qui est placé à 45 degrés.

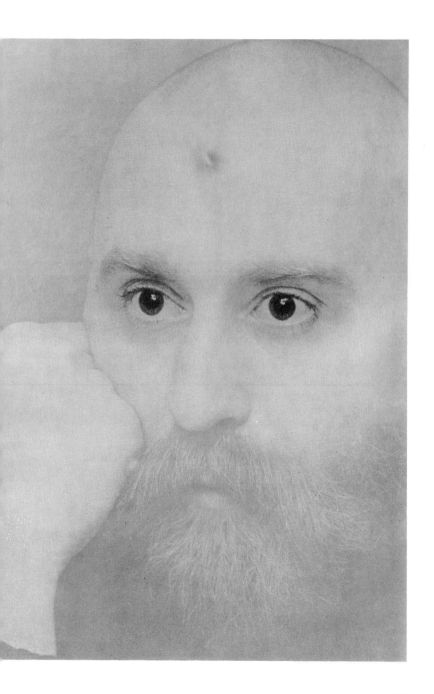

Hors-texte.

CHAPITRE 7

le panier aux crabes

(Pensées, rêveries, conseils et recommandations en vrac)

Dans un laboratoire photo, il est préférable qu'il n'y ait qu'un seul maître à bord, ce qui permet à celui-ci d'avoir un contrôle parfait sur tout l'équipement, les produits chimiques, etc. Il est donc le seul responsable des succès comme des bévues.

• • •

La minutie, l'ordre, des gestes calculés, un traintrain chronométré, une propreté impeccable, de l'autodiscipline, voilà des mots qui s'appliquent au parfait technicien de chambre noire.

• • •

Le truquage en chambre noire n'est qu'un vain mot. Il n'y a pas vraiment de secret bien gardé; il faut se dire plutôt que chaque négatif à imprimer est un nouveau défi et qu'on y parviendra en utilisant à fond les techniques conventionnelles.

• • •

L'expérience finira par transformer vos yeux en des ordinateurs (calculateurs d'exposition) mieux que n'importe quel posemètre, au point que très tôt, vous n'aurez plus à faire de bandes d'essai. Votre travail s'en trouvera accéléré.

• • •

Prenez l'habitude de faire toutes les opérations de maquillage uniquement avec vos mains. C'est le seul instrument capable de se transformer instantanément.

• • •

L'usage de différentes marques de papier à tirage porte à confusion. C'est pourquoi je préfère n'en utiliser qu'une seule et la connaître à fond plutôt que d'avoir à en changer sporadiquement et à recommencer les essais.

• • •

Une pratique qui fait très «pro» dans la chambre noire est celle qui consiste à utiliser une petite cuve remplie d'eau très chaude — à proximité du bassin de révélateur — ou de révélateur concentré et chaud, pour aider «à faire venir» certaines plages insuffisamment exposées.

L'arrangement idéal pour un technicien de chambre noire qui est débordé de travail, c'est d'équiper son agrandisseur d'un rhéostat (avec une lampe no 213). Travaillant *toujours à l'ouverture optimum* (environ f/8), ses temps de pose peuvent ainsi être uniformisés.

* * *

Pour moi, l'économie de papier n'étant pas ma première préoccupation, je préfère, le plus souvent possible, utiliser une feuille complète comme feuille d'essai; ainsi, si elle est ratée, j'ai une vue d'ensemble des corrections à apporter.

* * *

Si vous entendez parler de cette nouveauté: les photos archiviques (présumément traitées pour durer des millénaires), n'en perdez pas le souffle. Ce n'est, à mon avis, que du verbiage. Il ne s'agit en fait que de photos bien finies, et toutes les photos devraient l'être. Parler d'entreposage archivique est une autre chose.

* * *

Pour obtenir une photo en noir et blanc d'une diapositive à une vitesse ultra-rapide, vous devez avoir recours au même procédé que celui employé pour le film Polaroid (voir question no   ), mais, cette fois, en utilisant du film Polaroid noir et blanc de 3000 ASA. Pour rendre l'opération pratique, il faut substituer à la lampe no 212 de l'agrandisseur une lampe ne dépassant pas plus de 15 watts. Le temps de pose pour une diapositive bien exposée sera d'environ 3 secondes à f/16 (très approximatif).

* * *

Puisque diaphragmer entraîne automatiquement une profondeur de champ, il n'est pas souhaitable — lorsqu'on se sert de certains agrandisseurs bon marché — de fermer jusqu'à f/16; ceci pourrait occasionner une mise au point qui s'étendrait jusqu'au condensateur . . . et rendrait visibles sur la photo toutes les poussières de celui-ci.

* * *

Il est certes trop tard pour tenter de régler le problème du grain, rendu au stade du tirage. Il aurait fallu le régler au stade du développement des films. Il n'existe pas de papier à tirage dit à *grain fin, grain moyen* ou *grain granuleux;* ces expressions se rapportent uniquement aux émulsions de film.

Les vrais «pros» ou les amateurs très sérieux utilisent deux fois plus de lampes à agrandisseur que l'amateur ordinaire. La raison en est fort simple: cette lampe reste presque constamment allumée durant la séance de tirage. Pourquoi? Pour éviter que les négatifs «bombent» durant la projection sous l'effet de la chaleur de la lampe. Un négatif froid bombe toujours dans un passe-vue sans vitre après quelques secondes d'exposition à la chaleur et crée un hors foyer très désagréable.

● ● ●

A l'occasion, je laisse parler mon subconscient et, à ce stade-ci du livre, je l'entends me dire: «Ah! Antoine, ce que t'en as des choses à dire! Crois-tu que les gens vont payer pour lire ça? Tu es prétentieux, mon vieux. Moi qui pensais que tu préférais faire de la photo plutôt que d'en parler! On change, on change, en vieillissant . . .»

● ● ●

Après un entraînement prolongé, l'opérateur en vient à admettre que, généralement, une épreuve doit lui apparaître sensiblement plus foncée dans le révélateur, avant de la sortir. La raison: l'éclairage des lampes de sûreté a tendance à nous faire voir une densité apparemment augmentée de l'image. Ce qui fait que les débutants mettent souvent fin prématurément au développement.

● ● ●

Je considère que les épreuves placées dans le bain de fixage devraient l'être face contre face, de manière à glisser les unes sur les autres. Toutefois, il est fort important de les retourner sur elles-mêmes, quelquefois, pour qu'elles aient — pendant une période équivalente — la face contre le fond du plat. Ceci permet une libération plus rapide des sels complexes de l'émulsion qui, autrement, risqueraient de stagner à la surface de celle-ci si, justement, elle était la face vers le haut.

● ● ●

L'origine d'un paquet de maux de tête provient souvent du surfixage des épreuves. Le temps prescrit de fixage dans un bain ordinaire est de 5 minutes et, dans le cas d'un fixateur rapide, de pas plus de 2 minutes. Fixer plus longtemps entraîne un durcissement de l'émulsion, donc un mauvais glaçage, en plus du phénomène de blanchiment qui déséquilibre le contraste des épreuves. Et il devient, en plus, très difficile de les repiquer.

La science, avec ses horizons illimités, a permis la mise au point d'un révélateur-fixateur (en une solution) qu'on devait utiliser dans une merveilleuse petite cuve pour développer — croyez-le ou non — un film dans sa cassette originale. Lese tests ont prouvé que le système en question fonctionne très bien. C'était il y a six ans. Depuis, on n'en entend plus parler. Cette solution, s'appelait Brook's Instant Developing Kit. J'en cherche toujours un.

• • •

A l'intérieur d'un grand journal ou d'une grande compagnie qui utilise les services de plusieurs photographes, l'aménagement des chambres noires diffère beaucoup de celui d'un labo de photographe indépendant. Ainsi, on retrouve un nombre égal de petits labos mesurant 4 x 6 pieds [1,22 x 1,83 m] et ne servant qu'au développement des films, pour chacun des photographes. Pour le tirage, tous font usage d'une salle commune de grande dimension (20 x 30 pieds) [6,10 x 9,14 m], pour la Presse, par exemple.

• • •

Le technicien expérimenté qui imprime des films à la chaîne (surtout dans les journaux), ne procède pas au développement de chaque photo immédiatement après le tirage. Il empile plutôt ses photos dans une boîte et les développera une dizaine à la fois (dos à dos), plus tard. Il arrive qu'il ne gaspille pas plus de 2 à 3 feuilles par jour. Il est surprenant de constater que les vrais techniciens n'utilisent jamais de posemètre pour le tirage.

• • •

Mêmes les grandes compagnies, avec leurs installations photographiques à l'épreuve de tout, font appel à certains laboratoires spéciaux qui ont organisé, par exemple, un système de développement de 2 heures (pour la couleur) et peuvent aussi développer votre film en noir et blanc ... pendant que vous attendez. Certains disent et croient fermement que, pour faire de l'argent, il faut sortir de la chambre noire. Ceci explique pourquoi certains photographes célèbres ont leur technicien de labo ... privé.

• • •

Si vous êtes un amateur consciencieux, vous devrez prendre très au sérieux la recommandation qui veut «qu'un film exposé doit être développé le plus rapidement possible» pour ne pas dire immédiatement. Les usagers du Polaroid le font ... Alors!

Si vous ne prévoyez pas le développer immédiatement, le film exposé doit être rangé dans la chambre froide et non dans la chambre noire. Ainsi, puisqu'il continue à «vivre» et à «respirer» — donc à vieillir —, son métabolisme sera donc ralenti.

• • •

Savez-vous qu'il est plus important de congeler un film exposé qu'un film qui ne l'est pas? Oui, oui, car son processus de vieillissement s'accélère *après l'exposition.* A retenir: dégeler une heure avant le développement.

• • •

Non, je regrette, mais je n'utilise que des produits chimiques tout préparés et je laisse à ma femme le soin de mijoter la soupe. Je n'ai pas la prétention d'être mieux équipé que les fabricants et mon temps est trop précieux.

• • •

De toute évidence, les produits chimiques offerts par une marque de commerce conviennent mieux aux films de cette *même marque de commerce;* mais, personnellement, j'y attache très peu d'importance, considérant que les ingrédients de base d'un révélateur sont universels.

• • •

A mon avis, on obtient des résultats plus consistants lorsqu'on utilise un révélateur à film dit «à bain perdu», c'est-à-dire dilué et ne devant servir qu'une fois, comme le Microdol-X (ou le HC-110), dilué dans la proportion de 1 volume de révélateur pour 3 volumes d'eau.

• • •

La régénération d'une solution de révélateur qui doit être employé pur se fait en ajoutant un volume de régénérateur correspondant à la baisse du niveau de la solution de révélateur dans la cuve.

• • •

Avez-vous déjà pensé à utiliser des tiges de bambou comme tuteurs pour vos plans de tomates, au lieu des morceaux de bois ordinaires? C'est bien meilleur marché et ça pourrit moins vite en terre. Sans compter que vos tomates n'en voient pas la différence . . . Oops! à oublier!

Dans les villes, les eaux se prêtent généralement bien à la dilution des produits chimiques. Cependant, pour quelques régions isolées, on fixera un filtre sous le robinet pour éliminer certaines particules organiques qui risquent de coller à l'émulsion.

• • •

Oui, l'eau de pluie, ainsi que l'eau distillée ou bouillie sont très recommandées (pour les photographes qui habitent des régions éloignées) pour la préparation des révélateurs, des fixateurs et des eaux de lavage. A retenir si vous utilisez de l'eau douce: lavez un peu plus longtemps.

• • •

Vous pouvez effectivement fixer 50% plus de photos en utilisant le système de fixage à deux bains au lieu du bain unique. La photo est déposée dans le premier bain pour la moitié du temps, puis dans le deuxième. Après épuisement du premier bain, le deuxième devient le premier et une solution fraîche est faite pour remplacer le second bain.

• • •

Il y a trois méthodes fondamentales pour procéder au tirage des épreuves. Vous pouvez soit travailler à diaphragme fixe et varier les temps d'exposition selon la densité du film, soit exposer toujours pendant un même nombre de secondes et varier le diaphragme selon la densité, soit utiliser un rhéostat pour l'exposition et demeurer toujours à l'ouverture optimum.

• • •

L'émulsion photographique n'étant pas sensible au rouge, pourquoi ne pas vous confectionner de petits caches — de différentes formes — avec du plastique rouge et transparent? Tout en maquillant, vous pouvez voir la partie cachée . . . puisqu'elle demeure visible.

• • •

Si votre budget vous le permet, achetez non pas 3 bassins 11 x 14 «28 x 35,5 cm») pour vos photos 8 x 10 [20,5 x 25,5 cm], mais bien 6. Pour préserver vos solutions de l'oxydation, la poussière et tout, déposez les 3 autres plats en flottement sur vos solutions, après chaque séance de tirage. C'est très efficace et très économique à long terme, en plus d'empêcher les mauvaises odeurs de se répandre.

De toute évidence, un agrandisseur avec un système de filtrage qui opère entre la lumière et l'objectif, est grandement supérieur à celui situé sous l'objectif. Dans le premier cas, c'est la lumière qui est filtrée et, si le filtre est sale ou égratigné, rien ne paraîtra sur l'épreuve; autrement c'est l'image qui est filtrée. Donc, il est nécessaire que les filtres soient très propres.

• • •

Pour certains, le filtre rouge situé sous l'objectif de l'agrandisseur est trop foncé et rend leur travail difficile. Dans bien des cas, ce filtre peut être remplacé par un filtre orange no 2 qui laisse voir une image beaucoup plus brillante. Il est particulièrement efficace pour les photomontages (plusieurs images imprimées sur une même feuille).

• • •

La façon la plus intelligente de cadrer une photo est encore de le faire sur l'épreuve elle-même, en pleine lumière, et sur une image positive. Le premier cadrage étant fait à la prise de vue, il est ensuite amélioré sommairement avec le margeur (en demi-obscurité); la décision finale est prise après inspection de l'épreuve, fixée et reprise s'il y a lieu.

• • •

Si votre eau de lavage est considérée comme dure (forte teneur en calcaire), vous laverez vos films probablement plus vite que si elle est douce, Mais vous devrez aussi les essuyer avec une peau de chamois pour éliminer les particules déposées sur l'émulsion.

• • •

On ne devrait jamais utiliser une peau de chamois pour essuyer un film si ce film n'a pas été fixé dans un fixateur « tannant » (avec durcisseur), car les risques d'endommager l'émulsion sont trop grands. Il s'ensuivrait des rayures très fines, mais irréparables.

• • •

Une peau de chamois devant servir à essuyer les films, trempera toujours dans de l'eau (ne jamais la sécher), et de préférence dans une solution de bicarbonate de sodium; elle ne doit pas être tordue ou essorée avec vigueur, mais pressée entre les paumes.

Une mise en garde s'impose quant à la conservation des produits chimiques. Ne pas vous aventurer à les conserver au froid (comme c'est le cas pour les films), car certains des ingrédients risqueraient de se cristalliser. La température ambiante du labo suffit (entre 68 et 72 degrés: 20 et 22.2°C).

• • •

Il n'y a rien d'extravagant à utiliser de l'eau distillée pour diluer le révélateur, si l'on considère qu'une telle solution (prenons un gallon — US: 3,840 l; Impérial: 4,080 l — de D-76, par exemple), *régénérée selon la méthode prescrite,* peut « travailler » pendant plus de trois mois, parfois un an ...

• • •

A propos d'eau distillée (le pharmacien la vend environ $1 — approx. 5 F. — le gallon), disons que plusieurs « pros » s'en servent aussi pour confectionner leur solution d'agent mouillant et s'assurent un trempage final, exempt de toutes impuretés.

• • •

Il faut bien comprendre que les sels minéraux contenus dans l'eau ordinaire qui alimente nos foyers, n'ajoutent rien à l'efficacité des constituants des révélateurs ou fixateurs; parfois même, ils nuisent et l'on a intérêt à n'employer que l'eau la plus pure possible.

• • •

Savez-vous que, selon un certain sondage, la vaste majorité des amateurs sérieux utilisent et développent le film TRI-X à un indice de pose variant entre 800 et 1200 ASA? Et ce, au lieu de l'indice prescrit par le fabricant Kodak, qui est de 400 ASA.

• • •

Un excellent technicien professionnel de chambre noire (6 à 10 années d'expérience) vous dira que sa moyenne de tirage à l'heure (films 35 mm bien exposés) est d'environ 3 à 4 photos 8 x 10 [20,5 x 25,5 cm] ... Vous dites que vous pouvez en faire 25 dans le même temps? Bravo!

• • •

Pour apporter un peu de variété dans vos séances de tirage et rehausser l'effet de certaines de vos photos à tonalité douce, essayez de les agrandir au format 8 x 10 [20,5 x 25,5 cm] sur une feuille 11 x 14 [28 x 35,5 cm], en laissant une bordure noire autour. Fantastique!

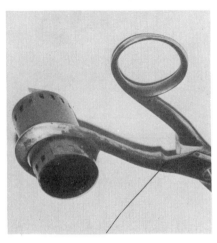

89

Pour éviter qu'un film prenne l'allure d'un ressort de pendule après le séchage, il faut généralement que la pince qui le maintient tendu soit assez lourde. Un film enroulé peut être redressé en l'enroulant, sans pression, dans le sens opposé pour une période de quelques heures en le maintenant ainsi avec une bande élastique. Pour éviter ce problème, il faut prendre l'habitude de couper les rouleaux en bandes de 5 ou 6 clichés après le séchage.

90

Lorsqu'on dit, dans les instructions, que telle ou telle solution a une capacité de développement de 80 pouces carrés [516 cm²], on veut parler de l'équivalent d'une feuille de film 8 x 10: 80 pouces carrés [20,5 x 25,5 cm: 516 cm²]. Ou encore au chapitre des équivalences: un rouleau de 36 poses 35 mm, 2 rouleaux 127, 4 rouleaux 126, 1 rouleau 120, 4 feuilles de film rigide 4 x 5 [10 x 12,5 cm] deux feuilles de film rigide 5 x 7 [12,5 x 17,5 cm], étant tous des surfaces de film qui équivalent à une feuille de film 8 x 10 [20,5 x 25,5 cm].

91

Il n'est pas du tout recommandé (et très imprudent) d'utiliser les contenants en plastique — d'usage courant au domicile — dans lesquels sont passées des eaux javellisées ou des produits à blanchiment, pour la bonne raison qu'il est presque impossible de les nettoyer convenablement une fois vides, car le plastique absorbe le produit original. Ce restant de détergent risque de « contaminer » les solutions photographiques.

92

Il est possible, quoique difficile, de faire ressortir l'amorce d'un film qui aurait été malencontreusement rembobiné à l'intérieur de la cassette 35 mm. A l'aide d'une lame de plastique pliable dont un bout aurait été couvert d'un morceau de bande adhésive sur les deux surfaces, on peut parfois y arriver. Sinon, il faut l'ouvrir dans l'obscurité et l'enrouler de nouveau sur une cassette rechargeable.

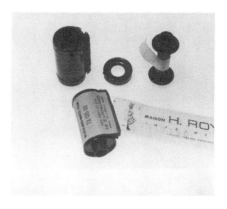

93

Il vous arrivera sûrement, un jour, de chercher un contenant mesurant une once (à moins que vous leviez souvent le coude ... dans ce cas, passez à la suggestion suivante). Le contenant rêvé est la petite boîte qui contient le film 35 mm (Kodak et autres) qui, une fois remplie jusqu'à la première ligne (voir photo ci-contre), contient exactement une once. Très commode pour un bar improvisé.

94

Si vous êtes l'heureux possesseur d'une minuterie de marque Gralab et que vous craigniez toujours les risques de choc électrique — comme moi d'ailleurs — pourquoi ne pas essayer d'installer ces petits bouts de boyau rigide qui, une fois insérés dans les boutons de contrôle, permettent d'allumer ou d'éteindre plus facilement les appareils, en plus de vous protéger contre les chocs par le contact de vos mains humides?

95

Pour faciliter l'usage du Foto-Flo (agent mouillant), qui ne doit être utilisé qu'au compte-gouttes, vous avez tout intérêt à vous servir d'un contenant du genre de celui-ci (ci-contre), qui me permet de déposer une goutte à la fois dans le volume d'eau nécessaire (2 gouttes pour 16 onces [0,480 l] d'eau). Tous les contenants de type vaporisateurs sont indiqués.

96

Très peu d'amateurs utilisent un tablier lorsqu'ils travaillent en chambre noire, et c'est regrettable. Pourtant, en voici un modèle facile à confectionner. Il s'agit d'un de ces sacs à ordures, en plastique, à 5 sous pièce, auquel vous n'avez qu'à faire trois trous en forme de demi-lune. Vous enfilez le sac comme un gilet en passant la tête et les bras par les trous. Même au rythme de un par séance de travail, c'est une aubaine.

97

Une méthode fréquemment utilisée pour éliminer les points noirs sur une épreuve (pin-holes) consiste à déposer très délicatement — à l'aide d'un cure-dent en bois — une solution de blanchiment d'usage domestique. Déposez la solution, laissez en place 15 secondes, enlevez avec un buvard et répétez jusqu'à disparition complète de la tache. Le ferricyanure de sodium qu'on utilise pour « affaiblir » une photo est encore préférable.

98

Certains contenants destinés à mesurer les produits chimiques en labo comportent souvent une échelle graduée en blanc qui, malheureusement, est presque invisible à la demi-obscurité. Le problème est vite réglé lorsque, à l'aide d'un crayon feutre noir — dont l'encre est insoluble à l'eau —, on repasse sur chacune des indications en relief. Ce procédé est valable pour les contenants gradués en plastique et en verre.

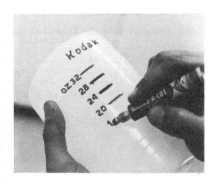

99

Les films 126 vendus en cassette à chargement instantané sont de la même dimension que les films 35 mm — quant à la largeur — et peuvent donc ainsi être embobinés sur les mêmes spirales que les 35 mm. Les cuves avec spirale ajustable (en bakelite) conviennent aussi à l'embobinage des films 126 en les ajustant sur le format 35 mm.

100

Pour faciliter l'enroulement des films — particulièrement les 36 poses — et éviter qu'ils ne s'accrochent quelque part, il est très important de couper l'amorce à angle droit et d'arrondir les deux coins. Ce procédé, qui ne semble pas impérieux, représente quand même 90% de la garantie du succès de l'opération enroulement. Le reste n'est qu'une question de pratique, d'abord à la clarté en regardant, ensuite dans l'obscurité complète.

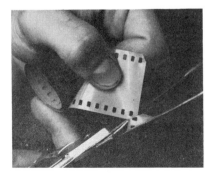

101

Aussitôt le film développé, il est de bon usage de choisir les clichés à imprimer immédiatement; pour s'y retrouver plus facilement, on suggère de les encocher sur le bord, face au cliché choisi. L'encoche ne doit pas atteindre le trou d'engrenage ... car vous risqueriez de déchirer le film de part en part au moindre accrochage. Une paire de ciseaux peut faire l'affaire.

102

Très souvent, il arrive que l'on doive s'absenter pour vaquer à une autre occupation et qu'on n'ait pas le temps de faire sécher ces dizaines d'épreuves restées dans la cuve à lavage. Ceci ne constitue aucun problème, puisque vous n'avez qu'à les sortir du laveur, à les égoutter et — laissées en pile — à les envelopper dans du plastique de façon étanche; vous pourrez reprendre l'étape du séchage le lendemain ou même trois jours après.

103

Lorsque vous devez procéder au montage des diapositives (encadrage), pour éviter de les toucher et donc d'y laisser des empreintes, quoi de plus facile (si vous n'avez pas de gants) que de coller sur vos pouces et vos index du « scotch tape » ou du diachylon médical?

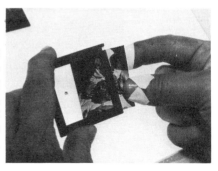

104

Les bouteilles en plastique servant à l'entreposage des produits chimiques, sont maintenant en usage dans presque toutes les chambres noires. Pour permettre de verser proprement et sans éclaboussure, on a imaginé de percer un petit trou dans la poignée, ce qui permet à l'air de pénétrer alors dans la bouteille. Très ingénieux et facile à faire avec un fer chauffé; au moment du rangement, il faut boucher ce petit trou avec un bout de liège ou de bois.

106

Un mode de lavage qui se révèle très efficace consiste à utiliser un contenant en plastique qui aurait été sectionné aux trois quarts. Il ne reste plus qu'à introduire un boyau de lavage dans la partie sectionnée de la poignée, de sorte que l'eau est poussée vers le fond du contenant et, en un mouvement de tourbillon, assure un lavage très réussi.

105

Pour nettoyer les bassins — plus spécialement celui du révélateur — il suffit d'utiliser quelque 16 ou 32 onces [0,480 ou 0,960 l] de Kodak Rapid Fixer ou Kristie V-88 à l'état pur, donc non dilué. En laissant le liquide dans le bassin pendant environ une heure, les taches brunes disparaîtront. Une autre méthode veut que l'on fasse la rotation des bassins. Juste avant l'apparition de taches brunes dans le révélateur, changez-le pour le bassin d'hypo. Le Javex aussi se révèle très efficace.

107

Pour des raisons inconnues, les fabricants de cuves à développement n'ont pas su imaginer un moyen d'en sortir les spirales lorsqu'elles sont pleines (les cuves) de révélateur. Il a fallu un amateur inconnu pour imaginer d'utiliser une épingle à linge pour les sortir de là sans avoir à verser la solution.

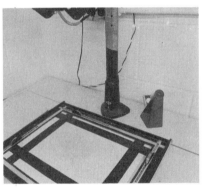

108

Afin d'éviter de voiler l'image projetée sur le margeur, vous aurez tout intérêt à coller quelques bandes de ruban noir sur la colonne chromée de votre agrandisseur. Il est préférable d'utiliser du ruban gommé mat et de le coller à la verticale, pour ainsi pouvoir l'enlever si vous devez descendre la tête jusqu'en bas.

109

Vous êtes sans ouvre-cassettes et sans ouvre-boîtes ... et vous devez absolument ouvrir de toute urgence la cassette de votre film; avec votre pouce droit — et beaucoup d'ardeur — vous arriverez à entrouvrir les « lèvres » de la cassette en les écartant jusqu'à ce que le film puisse en être extirpé. Attention de ne pas vous entailler les doigts, car l'enveloppe de la cassette, une fois déroulée et libérée de ses deux côtés, est affreusement coupante.

110

La pire épreuve que puisse subir une épreuve photographique, c'est d'être manipulée, notamment au stade du tirage où elle est le plus vulnérable. Les pinces qu'on utilise pour la manipuler ne devraient pas être employées à la façon de celles dont on se sert pour faire sécher le linge, mais délicatement, en en pinçant les bords. Il ne faudra donc pas être surpris si des rayures plus ou moins grises — après de telles manoeuvres — apparaissent sur l'émulsion. L'émulsion, en plus de réagir aux révélateurs, réagit aussi aux frottements.

111

Dans le cas où votre chambre noire serait trop petite, à un point tel que les lampes de sûreté ne sont même plus sûres — même avec une ampoule de 15 watts —, vous pouvez diminuer l'intensité de la lampe en ajoutant une feuille de papier d'emballage brun pâle coupée à la dimension de votre filtre et déposée à l'intérieur de la boîte à lumière; ce papier ordinaire de type mince devrait diminuer la force de l'ampoule 7 watts.

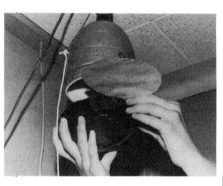

112

Le ruban gommé qui tient ensemble le film 2¼ x 2¼ [6 x 6 cm] et le papier rouleau protecteur, ne devrait jamais être enlevé au moment de l'enroulement; il v a u t mieux le rabattre de l'autre côté du film afin de permettre un bon ancrage à la pince, au moment du séchage.

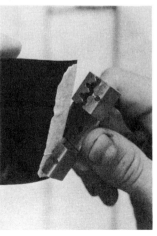

245

113

L'emploi d'un tablier de menuisier se révèle parfois très utile ... pour y mettre des films pouvant être développés à différents indices de sensibilité. En chambre noire, il faut recourir à toutes sortes d'astuces — à l'instar des aveugles — et à des points de repère propres au toucher pour éviter les erreurs éventuelles, lors d'un travail à l'obscurité complète.

114

Pour marquer ou numéroter les pellicules dans la bordure, l'instrument le plus utile — quoique un peu cher — est encore la plume utilisée par les artistes et les graphistes (Rapido-Graph). Elle offre la pointe la plus fine, ce qui permet d'inscrire de très petits chiffres, même dans l'espace étroit qui sépare deux clichés de 35 mm.

115

Les films enroulés autour d'une spirale ont presque toujours tendance à se dérouler, surtout si l'agitation se fait dans le sens contraire à l'enroulement. En installant une bande élastique — pas trop serrée —, vous serez prémuni contre cet inconvénient. Cette bande n'endommage en rien l'émulsion, puisqu'elle est à l'endos du film.

116

Une pratique très recommandée en chambre noire consiste à déposer deux ou trois spirales dans un sac de polyéthylène afin de les protéger contre la poussière. Pour empêcher la corrosion possible, on devra faire deux ou trois petits trous au fond du sac pour permettre à un minimum d'air d'y circuler. S'assurer que les spirales soient bien sèches avant de les y mettre.

117

Pour éviter de laisser une marque irréparable sur l'émulsion, il faut s'assurer que le film est embobiné par le début (par l'amorce). Le dernier cliché étant très près de la fin du rouleau, si vous l'enroulez par ce bout, il s'ensuivra sûrement une marque causée par la petite pince qui agrippe le film.

118

En voyage, vous devez surseoir au développement de vos films. Prenez l'habitude de les conserver dans un sac de plastique pour les préserver de l'humidité, quitte à ajouter aussi un petit paquet de silice. Conservez ces sachets lorsque vous achetez une pièce d'équipement: il y en a toujours un dans l'empaquetage.

119

Le jour où vous manquerez d'acide acétique pour vous constituer un bain d'arrêt, n'hésitez pas à utiliser une solution de vinaigre blanc dilué avec de l'eau (moitié-moitié). Ça marche très bien, mais le vinaigre coloré est à déconseiller, en raison des risques de taches.

120

Il est rare qu'un tiroir mesure plus de 6 pouces [15 cm] de profondeur. Pour la table de travail, il faudrait penser en termes de 12 pouces [30,5 cm], pour plus de commodité. Ainsi, vous pourriez y déposer vos papiers photographiques (vierges) à la verticale; chacun des grades sera séparé par une mince feuille de contre-plaqué. Prévoir une fermeture à clef serait encore plus sûr.

121

Pour les fortunés qui peuvent se permettre le genre de séchoir à films tel que montré ci-contre, je vous informe que la bande de film de 36 poses est laissée dans sa spirale ... pour sécher à l'air chaud. L'emploi de l'agent mouillant est de rigueur pour éviter les gouttelettes d'eau.

122

Il arrive que certaines situations extrêmement urgentes nécessitent le séchage utra-rapide d'un rouleau 35 mm de film. Pour ce faire, vous pouvez vous procurer le produit ci-contre, qui est à base d'alcool. Après un lavage sommaire, le film est déposé dans cette solution pour pas plus de 2 minutes et il séchera à l'air libre en moins de 60 secondes.

123

Pour réticuler un film volontairement, il suffit de développer à une température d'environ 100 degrés et ensuite de le plonger dans un bain d'arrêt à environ 45 ou 50 degrés. Le phénomène se produit toujours du chaud au froid, et non l'inverse. L'émulsion gélatineuse se gonfle à la chaleur et rétrécit (en craquelant) lorsque exposée au froid.

124

Il n'est pas rare que l'eau de l'aqueduc circulant dans certaines vieilles maisons soit très sale, au point de laisser des dépôts permanents sur les pellicules. Dans ce cas, il est impératif d'installer un filtre à eau du genre de celui illustré ci-contre. Il se vend environ $35, mais il vous assure une eau très pure et potable.

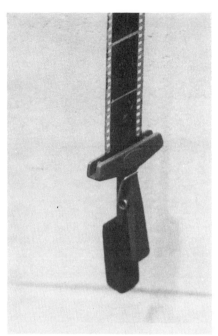

125

Bien qu'il soit possible aujourd'hui de sécher ses pellicules en les laissant dans la spirale , il n'en demeure pas moins que la bonne vieille façon de les suspendre à une corde est toujours plus simple. Il faut cependant s'assurer que les pellicules sècheront bien tendues. Pour ce faire, il est bien important d'utiliser une pince lourde comme celle-ci.

126

La chimie vient toujours au secours des photographes. Aussi, cette pellicule anti-voile vendue par Kodak sera ajoutée au révélateur et préviendra le grisonnement des bordures blanches. Elle est particulièrement recommandée pour ceux qui font usage de papier périmé.

127

« Pousser » une émulsion couleur est aujourd'hui devenu chose courante. Il faut pourtant se souvenir qu'une émulsion exposée et développée à son ASA recommandé donnera toujours des images de qualité supérieure à celle qui a été « poussée », c'est-à-dire sous-exposée et sur-développée. Cette émulsion « poussée » subit toujours une augmentation de contraste et de grains mais peut parfois vous tirer d'un mauvais pas. Exemple: éclairage trop faible. (Voir le guide de développement que. 151 .)

Hors-texte.

128 Je trouve que les photos publiées dans certains magazines, même celles de photographes réputés, sont souvent moins belles que mes propres agrandissements quant aux valeurs de gris et au contraste. Comment expliquer cela?

1) Ce problème est la cause de frustrations constantes pour tout photographe dont le travail est diffusé non pas sous la forme de photos originales comme c'est le cas dans une exposition, mais par l'intermédiaire d'une des techniques des mass media (journal, magazine, livre, etc.).

2) On sait que les valeurs de gris d'une photographie originale proviennent de la quantité de particules d'argent pur déposée dans l'émulsion. Ces variations de nuances sont *continues*, même dans les pellicules qui ont du grain.

3) Les procédés de reproduction les plus répandus en Amérique du Nord, *l'offset* et la *typogravure*, utilisent de l'encre, noire en général, à la place de l'argent. Mais comme la quantité d'encre déposée en un point ne peut être modulée, pas plus d'ailleurs que sa tonalité, le problème de l'imprimeur consiste à reproduire toutes les valeurs de gris optique, du blanc pur au noir intense, avec deux seules valeurs réelles: le blanc du papier et le noir de l'encre.

4) La solution réside dans une simple illusion d'optique: l'image originale à *modelé continu* est transformée, à l'aide d'une *trame,* en une image à *structure pointillée*. Cette trame est parfois assez grosse pour être perçue à l'œil nu, comme dans certains journaux, mais, le plus souvent, il faut une loupe pour la déceler: les illustrations de ce livre ont été reproduites à l'aide d'une trame donnant 10,000 points au pouce carré [6,451 cm^2] . . .

5) La reproduction d'une photographie devient un véritable travail d'équipe, et la qualité finale dépend de chacun des maillons de cette chaîne. La photographie originale passe, en premier lieu, entre les mains du photographe d'offset qui va produire l'intermédiaire à structure pointillée sous la forme d'un *négatif tramé*. Celui-ci est ensuite reproduit sur une plaque métallique, laquelle est finalement montée sur la presse pour le tirage.

6) Non seulement la compétence professionnelle de chacun des trois techniciens impliqués est-elle essentielle à une reproduction de qualité, mais encore faut-il que les matières premières utilisées soient de premier ordre, et ceci s'applique particulièrement au papier d'impression.

7) Si une impression de grande qualité coûte toujours cher, une revue ou un livre coûteux n'implique pas nécessairement un tirage soigné, hélas . . . Parmi les publications spécialisées de grand prestige, je nommerai le mensuel suisse «CAMERA» (1) et les brochures de la collection «APERTURE» (2), dirigée par Minor White, et, malheureusement, beaucoup moins connue du grand public.

8) Enfin, si vous désirez trouver en un coup d'œil la réponse à votre question et, en même temps, prévoir ce qui arriverait à la photo dont vous êtes si fier si elle était imprimée, vous n'avez qu'à comparer la *gamme de gris reproduite* ci-contre à une gamme de gris *originale* . . .

Messieurs les imprimeurs, ayez pitié des pauvres photographes . . .

Roland Weber.

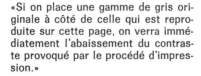

«Si on place une gamme de gris originale à côté de celle qui est reproduite sur cette page, on verra immédiatement l'abaissement du contraste provoqué par le procédé d'impression.»

(1) CAMERA, C.-J. Bucher S.A., CH-6002, Lucerne, Suisse.
(2) APERTURE INC., Millerton, New York 12546.

129 Est-il vraiment nécessaire de récupérer l'argent dans le bain de fixateur . . . pour un labo de simple amateur?

1) « Récupérer l'argent », voilà ce qu'on vous répète depuis dix ans! L'industrie photographique a été avisée qu'elle allait manquer d'argent pour pourvoir à ses besoins de nitrate d'argent dans la production de surface sensible d'ici quelques années. On nous dit même que près d'un demi-million de dollars d'argent est actuellement déversé dans les égouts, au Canada seulement. Vu le marché des nouvelles mines d'argent et comme les vieilles mines ne sont plus rentables, les fabricants (tel Kodak) ont imaginé un système pouvant récupérer l'argent à même les solutions de révélateur, bain d'arrêt et fixateur, de sorte que, peut-être, on pourrait ainsi retarder la crise en perspective.

2) Le système vaut son « pesant d'argent » pour les grands laboratoires qui développent un volume important de films, mais je ne crois pas que ça en vaille la peine pour un simple amateur dont le train-train hebdomadaire ne dépassera jamais une demi-douzaine de rouleaux, auxquels on pourrait ajouter 25 à 50 feuilles de papier 8 x 10 [20,5 x 25,5 cm] tout au plus. Encore une fois, toute cette publicité quant à la récupération de l'argent s'adresse surtout aux professionnels et aux compagnies exploitant de grands laboratoires où il est avantageux, à long terme, d'investir dans un équipement adéquat et permanent qui, admettons-le, se traduit par une économie annuelle de plusieurs milliers de dollars (plus dans certains cas). L'amateur qui aurait un « roulant » de plusieurs milliers de rouleaux de film (ce qui est plutôt rare), annuellement, peut toujours s'enquérir auprès de la compagnie Kodak, qui se fera un plaisir de lui installer un petit système dont le prix varie de $50 à $100.

130 Peut-on parler de conservation infinie de photos et, si c'est possible, comment y arriver?

1) Bien qu'il soit très important de vouloir conserver le plus longtemps possible une épreuve photographique, on oublie trop souvent l'importance, beaucoup plus grande, de préserver contre les ravages du temps les pellicules originales. Malgré les méthodes empiriques de finition des épreuves d'il y a près de cent ans, on en retrouve encore aujourd'hui, quoique jaunies pour la plupart. Par des procédés modernes de recopiage, on arrive à leur donner une seconde vie. Il est bien évident que, pour assurer une permanence ou une longévité à vos épreuves, beaucoup plus longue que votre propre cycle de vie, il faut s'en tenir rigoureusement au mode de finition recommandé par les fabricants des émulsions utilisées.

2) Savez-vous ce qui nuit le plus à l'émulsion d'une épreuve? C'est la manipulation, qui finit toujours par y laisser un acide provenant de la transpiration des doigts. On imagine facilement le nombre de personnes qui touchent à une photo sur une période de 50 ans! Les épreuves les plus aptes à survivre aux ravages du temps sont encore celles qui sont conservées dans des albums, recouvertes de plastique, donc à l'abri de la lumière, de l'humidité et de tout changement de température. Il ne faut pas s'étonner si une photo, même parfaitement développée, fixée et lavée, finit par s'altérer. C'est pourquoi plusieurs professionnels ont recours au « virage » des épreuves (au sélénium) comme moyen ultime d'assurer une longévité sûre à ces dernières. On sait que les produits chimiques utilisés pour le virage convertissent l'image argentique en des composés qui sont au moins tout aussi permanents que le papier lui-même.

131

Ma chambre noire d'agrandissement est éclairée avec une ampoule rouge de 25 watts. Cette lumière est-elle trop forte? Car j'ai l'impression que mes photos sont grises.

1) Il est possible, en effet, qu'une lumière trop puissante ou de couleur inadéquate provoque un *voile* grisâtre sur une photo durant son exposition ou son développement. En termes photographiques, on dit que cette lumière est *actinique,* c'est-à-dire qu'elle a une action sur une émulsion déterminée.

2) Une chambre noire doit donc être éclairée par une lumière *inactinique* dont les caractéristiques peuvent varier selon le type d'émulsion utilisée. Dans une chambre noire réservée au tirage par contact ou par agrandissement, les données à respecter sont les suivantes:

a) Puissance de l'ampoule: elle est indiquée par le fabricant du papier. Pour la majorité des papiers, elle est de 15 watts.

b) Distance de l'ampoule au plan de travail (margeur ou cuvette de développement): habituellement un minimum de 4 pieds [1,20 m].

c) Couleur: elle dépend de la sensibilité chromatique du papier utilisé. Il en existe trois catégories:

i) Les papiers à contraste simple (Kodabromide, Brovira, Ilfobrom, etc.) sont non chromatisés (sensibilité limitée aux radiations bleues) On peut donc utiliser la lumière jaune produite par un filtre OA. Bien entendu, un filtre rouge A est aussi acceptable, mais le jaune paraît plus lumineux à l'œil et permet une meilleure évaluation de l'épreuve durant le développement.

ii) Les papiers à contraste variable (Polycontrast, Varilour, Veecee, etc.) ont une sensibilité chromatique plus étendue qui nécessite l'utilisation d'un filtre jaune spécial OC (ou rouge A).

iii) Les papiers panchromatiques (Panalure) utilisés pour l'agrandissement des négatifs couleur ne peuvent être manipulés qu'à une lumière filtrée par un écran ambre foncé #10.

d) Ampoule ou écran de couleur? Les ampoules colorées sont en général à déconseiller, car, en dépit de leur apparence, elles transmettent des radiations actiniques.

3) Pour vérifier si un éclairage est inactinique, on peut faire le simple test suivant: on procède comme pour un agrandissement ordinaire. Le papier est installé sur le margeur dans *l'obscurité totale,* puis exposé. Il faut repérer une partie de l'image qui sera blanche ou gris pâle. Une pièce de monnaie est placée sur cette région, puis la lumière du laboratoire est allumée, tandis que la feuille de papier reste sur le margeur. Après environ 3 minutes, l'obscurité est faite à nouveau et la feuille de papier développée et fixée.

4) La lumière blanche est alors allumée et on examine la zone découverte par la pièce de monnaie.

Si la trace est visible, c'est que la lumière de la chambre noire est inadéquate et doit être changée, ou bien qu'elle est placée trop près du plan de travail.

Roland Weber.

Photo hors-texte. R.W.

132 J'ai entendu dire que certains photographes détruisent leurs pellicules exceptionnelles après en avoir tiré une douzaine d'exemplaires, afin d'en augmenter la valeur; qu'en pensez-vous?

1) Mon opinion très personnelle est qu'on ne devrait jamais détruire une pellicule originale. Si l'on tient absolument à l'enlever de la circulation, qu'on la fasse parvenir (par camion blindé, si nécessaire!) à la Bibliothèque nationale, où les conservateurs sauront la ranger dans un coffre-fort et où elle végétera jusqu'à la fin des temps. Trêve de plaisanterie! je crois que le prétexte est valable. Ce qu'on oublie, c'est qu'aucun photographe de haut calibre ne vous dira qu'il a répété deux fois la même épreuve de façon totalement identique. Les opérations qui consistent à faire « venir » (burning-in) ou à maquiller une photo ne peuvent pas être répétées — sur un plan artisanal — comme ce pourrait être le cas avec un dispositif électronique.

2) Même dans la douzaine de photos dites originales et exclusives, elles ne sont pas stéréotypées. Il est faux de prétendre qu'en photographie, on puisse reproduire la pellicule à des millions d'exemplaires; certainement pas par le procédé conventionnel ou artisanal, c'est-à-dire une à une et à la main. L'opérateur ou l'artiste arrive toujours à découvrir quelque chose de nouveau sur sa pellicule, et chaque nouveau tirage est un autre original. Il n'en est pas de même, bien sûr, pour ce qui est des procédés d'impression photomécanique. Même si ces milliers d'exemplaires sont des copies et non des originaux, ils offrent malgré tout une certaine valeur. Je n'ai jamais vu ou entendu en personne le grand Caruso, mais je me contente bien d'écouter ses disques. La répétition a toujours une valeur. Qu'arriverait-il si l'on détruisait l'original d'un grand classique du cinéma? Avec le temps, on finirait par se retrouver sans œuvre d'art.

133 Pourquoi doit-on diaphragmer à l'agrandissement, si l'on n'a vraiment pas besoin de profondeur de champ, comme c'est le cas au moment de la prise de vue?

Pour toutes sortes de raisons dont voici les principales:

a) Vous avez sûrement remarqué qu'en effectuant la mise au point (sur le margeur) sur la partie centrale de la pellicule, les coins de l'image négative n'étaient souvent pas aussi précis sur ce même margeur. Cette aberration de l'objectif ne peut être corrigée qu'en diaphragmant à environ f/8.

b) Si la lampe de l'agrandisseur est trop forte et que votre négatif est faible, vous n'avez pas d'autre choix que de diaphragmer beaucoup.

c) Plus important encore est le fait qu'aucun objectif ne donne une

« résolution » vraiment parfaite à pleine ouverture, l'ouverture optimale des objectifs (de prise de vue ou d'agrandisseur) se situant à environ f/8 ou f/5.6 (par ouverture optimale, on entend donc la focale où un objectif diffuse la lumière avec un maximum de précision et de netteté).

d) Pour les pellicules nécessitant un maquillage ou un « brûlage » prolongé, il vous faudra diaphragmer pour rallonger le temps de pose propre à cette opération.

e) Si, par exemple, vous avez à faire un agrandissement de deux négatifs en « sandwich », là, vous avez besoin de profondeur de champ. Il faut bien se souvenir que le moindre déplacement de la pellicule au niveau du porte-cliché (par gondolage ou par l'addition d'un deuxième négatif en surimpression) se traduit par un hors foyer très marqué au niveau du margeur; c'est ici que le diaphragme vient à la rescousse. Par contre, vous remarquerez qu'au niveau même du margeur, il se produit très peu de changement du foyer, même si vous soulevez ce margeur d'un demi-pouce.

f) Et que dire finalement de la correction des parallèles, où votre margeur est placé à un angle de quelque 30 degrés? Il vous faudra nécessairement diaphragmer à f/22 pour rééquilibrer votre champ de profondeur sur l'ensemble de l'image.

134

Quelles suggestions pouvez-vous me donner pour la mise en classeur de toutes mes photos 8 x 10 [20,5 x 25,5 cm] et de mes diapositives?

Après 25 ans de métier, on comprend que je possède quelque 15,000 à 20,000 photos en noir et blanc, en couleur et en diapositives. J'avoue, malgré tout, ne pas être de ceux qui se vantent d'avoir un système de classification digne des Archives nationales. J'ai toujours divisé mes épreuves, dans ma photothèque, en environ une vingtaine de catégories de sujets différents: amoureux, animaux, hommes au travail, enfants, etc. Chacun de ces sujets précis regroupe de 100 à 500 photos différentes. Lorsqu'un acheteur éventuel se présente et me dit avoir besoin de photographies d'enfants, je lui remets en main le dossier complet de mes photos d'enfants, dans lequel il trouve généralement ce qu'il cherche. Il arrive qu'il découvre même des sujets de photo auxquels il n'avait pas pensé! En réalité, je ne vends pas la photo (physique) elle-même, mais plutôt un droit de publication ou d'utilisation, et elle doit m'être retournée dans les plus brefs délais. Chaque section représentant un sujet est aussi accompagnée d'une enveloppe contenant les négatifs correspondants. Je dois dire qu'aucune de mes photos et qu'aucun de mes négatifs ne sont numérotés. Fouiller dans cette enveloppe pour y puiser un négatif n'est qu'une question de minutes. Mes diapositives sont toutes classées dans des tiroirs ou des carrousels conçus exprès, et aussi par catégories, selon les sujets. Les photos couleur sont simplement mélangées aux photos en noir et blanc, et les pellicules couleur négatives côtoient celles en noir et blanc. Je dois ajouter que mon épouse possède une mémoire photographique, ce qui n'est pas négligeable dans une telle entreprise.

Les archives photographiques de l'auteur, classées par thème.

Hors-texte.

CHAPITRE 8

erreurs et défauts prévenus et corrigés

135 J'obtiens souvent sur mes agrandissements, des marbrures de formes irrégulières. Quelle en est la cause?

1) La photo ci-contre montre clairement les effets de ce phénomène, connu sous le nom d'« anneaux de Newton ». Il se manifeste par une une ou plusieurs lignes sombres de formes irrégulières et fermées, et de dimensions variables (1 à 2 pouces: [2,5 à 5 cm]), et provient de l'interférence des ondes lumineuses qui provoque également, dans un autre domaine, les taches colorées visibles sur une chaussée humide recouverte d'une pellicule d'essence.

2) Il ne se produit que dans les agrandisseurs composés d'un porte-négatif *avec vitres* et résulte d'un contact inégal entre *le support* du négatif (côté brillant) et la vitre.

3) En général, les agrandisseurs conçus exclusivement pour le format 24 x 36 mm comportent un porte-négatif sans vitre, composé d'une fenêtre de ce format, et sont donc exempts de ce défaut. Par contre, plusieurs agrandisseurs pouvant recevoir les négatifs 24 x 36 mm et 6 x 6 cm (2¼ x 2¼) sont munis d'un passe-vue équipé de deux vitres. Celles-ci permettent de maintenir le négatif absolument *plat*.

4) En effet, sous l'effet de la chaleur dégagée par la lampe d'agrandissement, le négatif peut se déformer légèrement, plus particulièrement au centre; et, le négatif n'étant plus plat, l'image n'aura pas la même netteté au centre que sur les bords.

5) Avec les négatifs 24 x 36 mm, les vitres sont inutiles, car ce format est suffisamment petit et le négatif demeure à plat. Il suffit donc de remplacer les deux vitres par un adaptateur spécial pour ce format (lorsqu'il existe): ainsi, pour l'agrandisseur Opemus III, on peut se procurer l'adaptateur no 78114. Celui-ci offre, de plus, l'avantage fort précieux d'éliminer l'accumulation de poussières, de rayures et de marques de doigts sur 4 surfaces de verre!

6) Avec les négatifs de format supérieur, 6 x 6 cm et plus, le problème de la planéité du négatif se pose. Un passe-vue de bonne fabrication, sans vitre, est généralement satisfaisant pour le 6 x 6 cm. A défaut d'un tel porte-négatif, il y a deux remèdes possibles:

a) Remplacer les vitres existantes par des vitres spéciales, dites « anti-anneaux de Newton » (lorsqu'elles sont disponibles).

b) Prendre une petite feuille de papier fort, noir de préférence, de dimensions supérieures à celles du négatif, et y découper une ouverture au format de celui-ci. Placer ce cache entre le côté brillant du négatif et la vitre. L'épaisseur du papier ainsi intercalé est généralement suffisante pour éliminer les anneaux de Newton.

(Roland Weber)

Anneaux de Newton.

Photo hors-texte, R.W. d'après
une diapositive.

136 J'ai souvent des taches jaunes sur mes photos, après le séchage, et je constate qu'elles sont « inenlevables »; comment puis-je les éviter et, peut-être, les faire disparaître?

1) Ces taches jaunes sont dues, plus souvent qu'autrement, à des sels d'argent non exposés, non développés et non fixés en raison d'un manque d'agitation, lors du processus de développement. En outre, si du fixateur se trouve malencontreusement sur vos doigts et que vous maniez une émulsion dans le révélateur, vous pouvez être certain qu'il y aura des taches brunâtres en bordure de celle-ci.

2) En procédant par l'absurde, voici exactement ce que je ferais si je voulais absolument avoir des taches brunâtres ou jaunâtres sur mes épreuves: je m'assurerais que:

a) Mes épreuves ne bougent pas du tout, ni dans le révélateur, ni dans le bain d'arrêt, ni dans le fixateur, et pourquoi pas durant le lavage, quant à y être?

b) Mes doigts sont amplement enduits de fixateur et que j'évite d'employer des pinces ou des gants en plastique.

c) Mes photos sont plongées dans un fixateur périmé, usé.

d) Mes épreuves sont empilées les unes sur les autres, pour être bien sûr qu'elles collent ensemble.

e) Pour être absolument certain de ne pas manquer mon coup, je veillerais à ce que l'eau du lavage soit très froide.

f) Si tout ceci ne réussit pas à me donner de belles taches jaunes, je m'empresserai de les déposer (côté de l'émulsion sur la toile de la sécheuse, toile qui serait imprégnée de produits chimiques — vous savez, cette toile qui a servi depuis des mois à sécher des photos mal fixées et mal lavées)!

Si, malgré tous ces bons conseils, vous ne réussissez pas de belles taches jaunes, c'est que vous êtes un apprenti-sorcier . . .

137 Peut-on récupérer une photo collée sur une plaque ou un tambour chromé, et, au fait, comment se fait-il qu'elle ait collé?

1) La raison probable de ce genre d'erreur proviendrait soit d'un manque de « durcisseur » dans le fixateur (rendant l'émulsion très molle), soit d'une eau de lavage trop chaude, soit tout simplement d'un lavage trop prolongé. Quoi qu'il en soit, la structure gélatineuse de l'émulsion n'a plus de corps et elle devient très vulnérable aux égratignures et . . . au collage, notamment si elle doit subir en plus une chaleur excessive dans l'appareil à séchage.

2) Le remède: il faut d'abord laisser la plaque ou le cylindre chromé se refroidir. Ensuite, avec un linge, ou une éponge, imbibé d'eau tiède, vous humectez l'endos de la photo.

Une solution de carbonate de sodium, au lieu de l'eau, serait préférable. Après un certain temps et plusieurs humectages successifs, la photo finit par se décoller lentement et, parfois, à sortir indemne de cette... épreuve. Si la photo se décolle, mais qu'une partie de l'émulsion adhère encore à la plaque, il ne faut pas tenter de la gratter avec quoi que ce soit. Frottez plutôt cette émulsion avec une peau de chamois humide ou un linge très doux. L'emploi d'une poudre « Bon Ami » est tout indiqué pour ce genre de travail délicat. Dans le cas où deux photos se seraient collées face contre face (émulsion à émulsion), on arrive à les séparer sans dommage, simplement en laissant couler de l'eau assez chaude entre les deux surfaces et en tirant très, très lentement. Ces photos à émulsion endommagées devront être séchées *mates* par la suite.

Photo hors-texte.

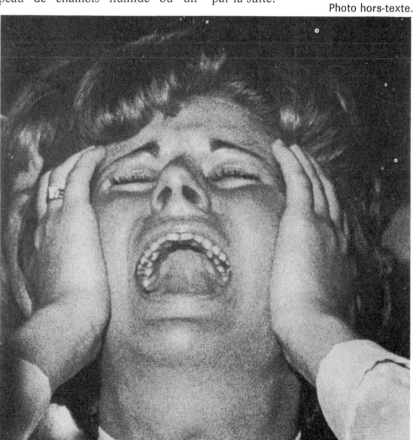

138

Comment réussir à « dérouler » ces douzaines de photos — mal séchées peut-être — et comment éviter que ce désagrément se reproduise?

1) Le problème qui affecte vos photos — qui étaient probablement très planes après le séchage — est un problème de changement de température. Les épreuves laissées libres sur une table sont sujettes à absorber de l'humidité et à sécher de nouveau, lorsque la température ambiante s'est réchauffée; ceci provoque inévitablement ce roulement en forme de tuyau de poêle, l'émulsion étant toujours vers l'intérieur, comme vous l'avez sans doute remarqué. Il vous faudrait voir les bureaux de travail des journalistes dans une salle de rédaction, tout recouverts de photos — et qui, comme vous dites, prennent beaucoup d'espace — pour vous convaincre que vous n'êtes pas seul.

2) Assez souvent, on arrive à régler le problème — en supposant que ces photos n'ont pas été littéralement « cuites » lors du séchage — en les passant (l'émulsion vers le haut) sur le bord d'une table. Si elles craquellent, c'est que l'émulsion est cuite et trop fragile. Dans ce cas, remettez-les toutes à tremper dans l'eau tiède (90 degrés [32.2 °C] pendant une bonne demi-heure et séchez-les à nouveau. Une chaleur excessive, exercée sur la surface émulsionnée — on le comprendra —, force celle-ci à sécher plus rapidement que le papier lui-même (ce dernier étant plus épais) et entraîne ce rétrécissement de l'émulsion prématurément, par rap-

port à son support. Il s'ensuit... le tuyau de poêle. Parfois, pour aplanir une épreuve, il suffira d'humecter l'endos de la photo (légèrement) et de la mettre sous pression pendant une heure. Dans d'autres cas, pour combattre ce gondolage par un autre gondolage, il suffira de monter ou coller deux photos dos à dos (l'une exerçant un tiraillement dans le sens opposé) pour atteindre une planéité parfaite. C'est encore une façon idéale de ranger ses photos dans un album. Ne jamais oublier que l'humidité est l'ennemi numéro un des surfaces sensibles.

Façon classique d'aplanir une photo.

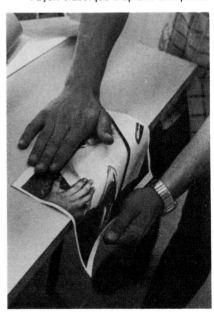

Voir question #67.

Les erreurs prévenues et corrigées

Défauts apparents	Causes probables	Actions préventives	Remèdes possibles
Erreurs photographiques			
Négatif trop doux, aucun détail dans les ombres.	Film sous-exposé et sous-développé.	Vérifier posemètre, révélateur et technique de développement.	#0, « faire venir » els hautes lumières.
Négatif très doux et faible, mais avec les détails nécessaires.	Film correctement exposé, mais sous-développé.	Vérifier la qualité du révélateur, le temps de développement, la température, etc.	Tirage sur papier contrasté.
Pellicule faible, mais montrant des hautes lumières « bouchées ».	Film surexposé et sous-développé.	Vérifier techniques de prise de vue et méthodes de développement.	Tirage sur papier *doux* #1 ou #0, « faire venir » les hautes lumières.
Pellicule très contrastée, grand écart entre les hautes et les basses lumières.	Film sous-exposé et surdéveloppé.	Vérifier ASA (prise de vue) et mode de développement.	Tirage sur papier *doux* #1 ou #0.
Erreurs ou défauts physiques			
L'image est floue et embrouillée, de part et d'autre.	Obturation trop lente ou déplacement de l'appareil au moment de la prise de vue.	Augmenter la vitesse d'obturation, faire usage d'un trépied pour des vitesses plus lentes que 1/30e de seconde.	Aucun...
L'image est floue et diffuse, le contraste est faible.	La lentille est sale, couverte de buée peut-être, ou d'empreintes digitales.	Nettoyer la lentille *avant* et *arrière* et la couvrir après usage.	Tirage sur papier contrasté #5 ou #6.

FILMS (suite)

Les erreurs prévenues et corrigées

Défauts apparents	Causes probables	Actions préventives	Remèdes possibles
L'image négative est partiellement *renversée* (solarisation accidentelle).	L'obscurité n'est pas complète dans le labo, la lumière verte est trop forte.	Vérifier les infiltrations parasites dans le labo.	Aucun... (si ce n'est d'en faire volontairement une abstraction).
Plus d'une image sur la même pellicule (involontairement, bien sûr).	Mauvais fonctionnement du système d'avance du film.	Vérifier, en armant le film, la manivelle de rembobinage.	Aucun...
Pellicule qui ondule trop ou qui se recroqueville lorsqu'elle est détendue.	Trop de « durcisseur » dans le fixateur, manque d'humidité et séchage trop rapide.	Vérifier le fixateur et sécher plus lentement.	Relaver et sécher de nouveau à l'air ambiant.
Humeur visqueuse sur l'endos de la pellicule (côté brillant).	Trop forte concentration *d'agent mouillant* ou, simplement, l'eau est sale.	Utiliser *moins* d'agent mouillant ou filtrer votre eau.	Relaver et *essuyer prudemment* avec une peau de chamois.
Pellicule « marbrée », « moirée », d'apparence non uniforme.	Film périmé, manque d'agitation ou révélateur épuisé.	Utiliser du film et du révélateur frais, agiter plus fréquemment.	Aucun...
Pellicule fragile et qui casse facilement.	Trop de « durcisseur » dans le fixateur, manque d'humidité et chaleur trop forte au séchage.	Vidanger le fixateur et diminuer le « durcisseur », surveiller le séchage.	Relaver et sécher de nouveau selon les procédés habituels.
Taches jaunes ou brunâtres sur les pellicules.	Fixage et lavage non conformes aux procédés habituels.	Augmenter la durée du fixage et du lavage, faire usage d'« Hypo Eliminator ».	Aucun...
Rayures verticales à partir des trous d'engrenage de la pellicule.	Suragitation du film toujours dans le même plan, cassette non étanche à la lumière.	Changer de mode d'agitation, vérifier l'appareil et l'étanchéité du labo.	Aucun...

FILMS (suite)

Les erreurs prévenues et corrigées

Défauts apparents	Causes probables	Actions préventives	Remèdes possibles
Lignes noires ayant l'apparence d'éclairs électriques (sur le film).	Électricité statique provoquée par une température trop sèche, ou par un déroulement trop rapide du film.	Armer l'appareil et rembobiner le film lentement.	Aucun ...
Petits points transparents très précis sur le film.	Poussières sur le film avant la prise de vue, ou bain d'arrêt trop fort en acide acétique.	Rincer à l'eau claire seulement, bien nettoyer l'appareil.	Repiquer.
Petites marques en forme de demi-lune (genre croissant).	Film plié ou froissé durant l'embobinage.	Les film « hors cassette » doivent être manipulés avec d'infinies précautions.	Aucun ...
Petites taches transparentes parfaitement rondes et plus denses sur le contour.	Bulles d'air restées accrochées à l'émulsion durant le développement.	Aussitôt le film plongé dans le révélateur, frapper la cuve sur le fond du bac.	Repiquer.
Lignes un peu floues, transparentes, parallèles à la bordure du film, plus visibles dans la partie du ciel.	Émulsion *molle*, manque de « durcisseur » dans le fixateur, essuyage *trop ferme* avec la peau de chamois.	Vérifier le fixateur et le « durcisseur », éviter l'usage de la peau de chamois.	Aucun ...
Les quatre coins de la pellicule sont clairs (genre vignette).	Le pare-soleil ne correspond pas à l'objectif et interfère dans le champ de vision.	Utiliser un pare-soleil plus grand.	Aucun ... (si ce n'est de cadrer plus serré au tirage).
Lignes très claires comme des égratignures parallèles à la bordure du film.	Poussières dans le « bec » de la cassette ou à l'intérieur de l'appareil, enroulement trop serré du film.	Nettoyer correctement l'appareil, manipuler le film avec précaution.	Retouche par un expert.

FILMS (suite)

Les erreurs prévenues et corrigées

Défauts apparents	Causes probables	Actions préventives	Remèdes possibles
Emulsion qui donne l'apparence d'être craquelée uniformément (réticulation).	*Changement brusque de température* en passant du révélateur au fixateur et manque de « durcisseur » dans ce dernier.	Maintenir les températures uniformes en faisant usage d'un thermomètre.	Aucun... (cela peut cependant donner des effets spéciaux très intéressants).
Infinité de petites poussières séchées sur l'émulsion d'un film.	Eau de lavage impure et ayant une trop forte teneur en minéraux.	Il faudrait filtrer l'eau de l'aqueduc.	Repiquage intensif.
Pellicule totalement claire et transparente, aucune image.	Le film a été développé dans le fixateur... le capuchon de l'objectif est demeuré en place... l'obturateur est bloqué.	Vérifier l'*ordre* des solutions chimiques... faire inspecter l'obturateur.	Aucun...!!!
La pellicule ne présente qu'une demi-image, l'autre moitié étant claire.	Synchronisation du flash au mauvais indice, obstruction d'un objet quelconque devant l'appareil.	Vérifier le mode d'emploi de l'appareil, attention aux doigts devant l'objectif.	Aucun...
Taches qui ressemblent à des gouttelettes d'eau sur le côté de l'émulsion (après séchage).	Film séché sans trempage dans le Foto-Flo (la goutte d'eau prend plus de temps à sécher et laisse une marque).	Utiliser l'agent mouillant Foto-Flo en laissant tremper une minute, pas plus.	...Relaver pendant une heure et faire usage de Foto-Flo, essuyer avec une peau de chamois...
Empreinte(s) digitale(s) sur le côté de l'émulsion.	L'émulsion a été touchée avec le doigt avant le développement (vérité de La Palice...).	Manipuler le film uniquement par les bords, utiliser des gants si vous transpirez beaucoup.	Faire tremper une heure dans une solution de 10% de carbonate de sodium, rincer dans un bain d'arrêt, laver et sécher.

ÉPREUVES

Les erreurs prévenues et corrigées

Défauts apparents	Causes probables	Actions préventives	Remèdes possibles
Epreuve grisâtre, sans contraste.	Mauvaise gradation du papier, temps d'exposition trop court ou révélateur trop froid.	Agrandir sur papier *dur #4* ou #5, vérifier la température du révélateur.	Tirer une nouvelle épreuve.
Epreuve trop foncée, manque de contraste, effet de « moutonnement ».	Temps d'exposition trop long, manque d'agitation ou développement trop court.	Diaphragmer un peu plus ou exposer moins longtemps, utiliser du papier plus *dur*.	Tirer une autre épreuve.
Epreuve couverte d'un voile gris général, les blancs sont « sales ».	Exposition trop courte et développement trop long dans un révélateur trop chaud, papier périmé.	Exposer correctement, utiliser du révélateur et du papier frais, vérifier la température.	Tirer une nouvelle épreuve.
Certaines parties de l'épreuve apparaissent inversées en négatif (solarisation).	Exposition accidentelle à la lumière blanche, les lampes de sûreté sont *actiniques*.	Vérifier l'étanchéité des portes et des fenêtres, éloigner du bassin la lampe de sûreté.	Tirer une nouvelle épreuve.
Taches jaunes et brunâtres en bordure de l'épreuve.	Mains sales, empreintes d'hyposulfite, révélateur périmé, manque d'agitation.	Toujours travailler les mains propres, s'assurer que ses solutions chimiques sont toujours fraîches.	Tirer une nouvelle épreuve ou blanchir au ferricyanure.
Petites taches blanches circulaires très nettes.	Bulles d'air causées par un manque d'agitation dans le révélateur.	Submerger totalement l'épreuve et agiter sans arrêt.	Retoucher son épreuve quand c'est possible.
Taches noires circulaires très nettes.	Bulles d'air formées dans le *fixateur*, empêchant son action.	Agiter constamment à tous les niveaux du développement.	Tirer un nouvelle épreuve.

ÉPREUVES (suite)

Les erreurs prévenues et corrigées

Défauts apparents	Causes probables	Actions préventives	Remèdes possibles
Empreintes digitales *blanches* visibles sur les plages foncées.	Les doigts ont touché l'émulsion *avant* le développement, stoppant l'action du révélateur.	Employer des pinces quand on transpire beaucoup.	Tirer une nouvelle épreuve.
Empreintes digitales noires visibles sur les plages claires.	Les doigts *imprégnés de révélateur* sont venus en contact avec l'émulsion *avant* le développement.	Mains propres, encore... et utilisation de pinces (propres).	Tirer une nouvelle épreuve.
Epreuves floues en différents endroits.	Le papier photographique a « bombonné » durant l'exposition, mise au point automatique que déréglée.	Laisser la feuille *en place* sur le margeur quelques secondes avant de l'exposer.	Repiquer l'épreuve.
Gros et petits points blancs sur l'épreuve.	Poussières sur la pellicule, grossies en même temps que celle-ci.	Bien nettoyer les films avec un linge antistatique.	Tirer une nouvelle épreuve ou tenter de retoucher.
Rayures noires très fines sur l'épreuve.	Egratignures ou abrasion de l'épreuve par frottement.	Manipuler le papier avec grand soin.	Tirer une nouvelle épreuve.
Ampoules ou décollage de l'émulsion sur le support du papier.	Bain d'arrêt trop fort en acide acétique, ou fixateur ou eau de lavage trop chaud.	Diminuer la teneur d'acide dans le bain d'arrêt et vérifier les températures.	Tirer une nouvelle épreuve.
Pellicule *normale* tirée sur gradation *normale*, mais trop *douce*.	La lentille de l'agrandisseur est très sale.	Faire disparaître la poussière et la buée des deux surfaces de la lentille.	Tirer une nouvelle épreuve.

ÉPREUVES (suite)

Les erreurs prévenues et corrigées

Défauts apparents	Causes probables	Actions préventives	Remèdes possibles
Petites taches brunes sur l'épreuve (de l'apparence de la rouille).	Un des bassins à développement est rouillé, ou encore c'est la tuyauterie qui amène l'eau.	Changer la tuyauterie ou utiliser un filtreur d'eau.	Tirer une autre épreuve.
Petits points noirs très précis sur l'émulsion de l'épreuve.	Voir: taches claires de poussière sur la pellicule (défauts des films).	Voir les recommandations sur les erreurs des films.	Repiquer son épreuve à l'aide d'un cure-dents et d'un agent de blanchiment.
Taches brunes ou jaunâtres apparaissant après le séchage.	Erreur de fixage accentuée par la chaleur du séchoir, fixateur épuisé.	Utiliser des produits chimiques frais et agiter constamment.	Tirer une autre épreuve.
L'épreuve séchée gondole ou s'incurve démesurément.	Séchage trop chaud et trop rapide, manque d'humidité.	Diminuer la chaleur de moitié, faire usage d'un agent mouillant.	Frotter l'épreuve en bordure d'une table ou sécher à nouveau.
L'épreuve pâlit après le fixage.	Fixateur trop fort agissant comme un agent de blanchiment.	Diminuer le temps de fixage de moitié ou diluer avec de l'eau.	Tirer une autre épreuve.
Anneaux de Newton ressemblant à des cercles concentriques ou à des bandes elliptiques.	Pellicule trop humide en mauvais contact avec les vitres du porte-cliché.	Voir question no 135 qui traite le sujet en profondeur.	Tirer une nouvelle épreuve.
Taches rondes non glacées sur une épreuve séchée à la chaleur.	Mauvais contact sur la plaque ferrotype (chromée), chaleur excessive, poche d'air entre l'épreuve et la plaque.	Diminuer la température, assurer un contact parfait, ne pas enlever l'épreuve prématurément.	Relaver et sécher à nouveau.

ÉPREUVES (suite)

Les erreurs prévenues et corrigées

Défauts apparents	Causes probables	Actions préventives	Remèdes possibles
Taches jaunâtres apparaissant longtemps après le séchage.	Les épreuves ont collé ensemble durant le lavage (résidu de fixateur).	Voir à ce que les épreuves *bougent* sans cesse durant le lavage.	Tirer une nouvelle épreuve.
L'émulsion de l'épreuve craque facilement.	L'épreuve est séchée à une température trop élevée, trop de «durcisseur» dans le fixateur.	Diminuer la température du séchoir et éviter de plier l'épreuve.	Tirer une nouvelle épreuve.
L'épreuve colle à la plaque ferrotype.	Electricité statique, la plaque est sale, émulsion *molle* par manque de «durcisseur» dans le fixateur.	Fixer et laver selon les recommandations, bien nettoyer la plaque.	Décoller en imbibant d'eau l'épreuve.
La surface glacée présente des craquelures en forme d'écailles de poisson.	Trop d'humidité durant le séchage, photo mal essorée, manque de chaleur.	Réduire l'humidité en essuyant bien l'épreuve.	Retremper dans l'eau et sécher à nouveau.
L'image de l'épreuve semble imprécise uniformément.	Mise au point inadéquate, déplacement du film durant l'exposition.	Utiliser un *contrôleur de mise au point*, réchauffer la pellicule avant l'exposition.	Tirer une nouvelle épreuve.

Hors-texte.

CHAPITRE 9

la couleur

140 Faut-il avoir une compétence technique hors pair pour aborder le tirage couleur?

Je prendrai l'agrandissement noir et blanc comme critère de base. Si quelqu'un possède une maîtrise parfaite dans ce domaine, s'il sait évaluer les tonalités et le contraste avec finesse, s'il est capable de porter un jugement sûr et rapide sur une bande de test et de trouver les modifications de temps de pose et de contraste qui sont éventuellement nécessaires, s'il est assez habile pour effectuer atténuation et renforcement, alors je crois qu'il est prêt à aborder le tirage couleur.

Ceci dit, voyons les points clés de la couleur et ses différences fondamentales avec le tirage noir et blanc. En premier lieu et aussi surprenant que cela puisse paraître, il n'existe pas de système pour contrôler le contraste: ni filtre, ni papier à différentes gradations. Dans la mesure du possible, on contrôle la gamme de brillance du sujet au moment de la prise de vue. Si l'éclairage est trop dur, trop contrasté, le négatif le sera aussi. Pour obtenir une épreuve satisfaisante, il faudra, tout comme en noir et blanc d'ailleurs, doser habilement atténuation et renforcement durant l'exposition afin d'avoir des blancs bien textufés et des noirs détaillés.

L'exposition est évaluée d'après les blancs ou les teintes pâles, comme en noir et blanc. Comparez-les avec la marge du papier pour juger s'ils ont assez de densité et de texture.

Une assez longue pratique sera nécessaire pour arriver à une évaluation sûre de la couleur. En effet, sept éventualités peuvent se présenter lorsque vous avez exécuté une épreuve couleur: la plus improbable de ces éventualités, celle que l'on recherche mais qui n'arrive jamais du premier coup, c'est que les couleurs soient naturelles et objectives. Au contraire, il arrive presque toujours que la photo ait une *fausse teinte* ou *dominante colorée*. L'épreuve peut être: trop bleue, trop verte, trop rouge, trop jaune, trop magenta ou trop cyan (1).

L'évaluation de cette fausse teinte n'est pas aisée.

Pour corriger cette dominante on se sert de filtres colorés, mais, chose assez curieuse, on arrive *généralement* à effectuer toutes les corrections avec deux couleurs de filtre seulement, le jaune et le magenta, selon les données suivantes:

1/ L'épreuve est trop bleue: on diminue la filtration jaune

2/ L'épreuve est trop verte: on diminue la filtration magenta

---

(1) Il est indispensable d'avoir une connaissance parfaite de la théorie des couleurs et de comprendre les mécanismes des synthèses additives et soustractives. Le lecteur devrait consulter le précédent ouvrage « Je prends des photos » où j'ai traité à fond ce sujet.

3/ L'épreuve est trop rouge: on augmente la filtration jaune et magenta

4/ L'épreuve est trop jaune: on augmente la filtration jaune

5/ L'épreuve est trop magenta: on augmente la filtration magenta

6/ L'épreuve est trop cyan: on diminue la filtration jaune et magenta

Pour permettre une modulation nuancée des effets, ces filtres sont fabriqués en plusieurs densités: 0.05, 0.10, 0.20, 0.40 et 0.50 que l'on peut combiner entre eux. On utilise toujours en plus le filtre 2B, incolore, qui absorbe l'ultra-violet, ainsi qu'une vitre anticalorique si possible.

Quelques complications surgissent dans le calcul du temps de pose lorsque l'on change la filtration. Chacun de ces filtres a un cœfficient de pose indiqué dans le tableau ci-dessous: (2)

Filtre jaune	Cœfficient
0.05	1.1
0.10	1.1
0.20	1.1
0.40	1.1
0.50	1.1

Filtre magenta	Cœfficient
0.05	1.2
0.10	1.3
0.20	1.5
0.40	1.9
0.50	2.1

Prenons un exemple: vous avez réalisé un agrandissement *bien exposé* avec les filtres jaunes 0.20, 0.50 et magenta 0.40 mais vous trouvez qu'il est trop rouge. En consultant le tableau précédent, vous voyez qu'il faut augmenter les filtrations jaune et magenta. Vous essayez avec un filtre 0.10 de chaque couleur. La nouvelle filtration devient: jaune 0.10, 0.20, 0.50 et magenta 0.50. La différence entre les deux filtrations est qu'un filtre jaune 0.10 a été ajouté et que le filtre 0.50 magenta a remplacé le 0.40. Si l'exposition de la première épreuve était de 20 secondes, la durée de la nouvelle exposition sera calculée de la façon suivante:

20 sec. multipliées par (cœfficient du filtre 0.10 J) multiplié par (cœfficient du filtre 0.50 M), le tout divisé par le cœfficient du filtre 0.40 M

soit: $\dfrac{\textbf{20 sec. x 1.1 x 2.1}}{1.9} = 24$ sec.

Bien entendu rien n'est jamais aussi simple qu'on veut bien le dire et vous devez vous attendre à rencontrer des difficultés. Toutefois, les éléments ci-dessus constituent le minimum essentiel à l'approche du tirage couleur.

---

(2) On trouvera le tableau des coefficients de tous les filtres dans le formulaire de Kodak « Color dataguide ».

Quant au développement, c'est plus une question d'équipement et de système que de savoir-faire. Vous ne devez cependant jamais perdre de vue qu'il vous faut acquérir et conserver dans toutes les manipulations des habitudes de *propreté rigoureuse:* poussières, empreintes digitales, éraflures sont encore bien plus difficiles à corriger en couleur qu'elles ne le sont en blanc et noir.

Le tirage couleur constitue cependant une aventure passionnante car il constitue une étape supplémentaire où le photographe peut exercer son contrôle sur l'image finale.

(Roland Weber)

Photo hors-texte, R.W.

——————➤

Photo hors-texte, R.W.

141 Est-il hors de question, pour un amateur, de s'équiper pour faire de l'agrandissement couleur?

Il y a quelques années encore, ma réponse aurait été affirmative. Trop de facteurs techniques, trop de barrières, au plan de l'équipement, dressaient un obstacle infranchissable devant l'amateur attiré par l'attrait de la couleur. Mais à la suite des percées techniques réalisées depuis, les fabricants tant d'émulsions que d'équipement ont vite réalisé que le vaste marché de l'amateur était mûr pour s'ouvrir au monde de la photo couleur et c'est pourquoi on voit se dessiner un assaut général pour la conquête de ce marché prometteur.

De quelle nature sont les progrès dont peut bénéficier le photographe amateur moyen? Ils se situent à trois niveaux: équipement, matériel photosensible, matériel de traitement.

En premier lieu, les agrandisseurs, même de conception simple, ont été rendus adaptables aux travaux couleurs. Le contrôle des couleurs se faisant à l'aide de filtres qui colorent la lumière *avant* qu'elle n'arrive au négatif, des dispositifs ont été conçus, depuis la «tête couleur», fort coûteuse en général, jusqu'au simple «tiroir» à filtres, tout aussi efficace mais un peu plus long d'emploi.

Des efforts particuliers ont été portés sur l'équipement de traitement du papier. La principale révolution a été apportée par les machines à tambour rotatif, lancées par la compagnie Kodak, mais dont le prix reste encore incompatible avec un budget moyen. De plus, le problème de l'alimentation en eau chaude (100 °F [37.8 °C] et celui de la stabilité de cette température ($\pm \frac{1}{2}$F° pour le révélateur) constituent un obstacle supplémentaire.

Comme il fallait s'y attendre plusieurs manufacturiers ont exploité l'idée de Kodak. La compagnie Simmard semble avoir trouvé une solution intéressante sur deux plans: d'une part la rotation du tambour est effectuée manuellement, et d'autre part la température requise est obtenue par une réserve d'eau chaude préparée à l'avance. Coût d'un tambour pour formats de 4" x 5" à 8" x 10" [9,6 x 12 à 19 x 24 cm] une trentaine de dollars.

Dans le domaine des émulsions couleur sur papier, le principal progrès récent est celui de *l'enduction de résine* identifié sur les boîtes par les lettres «RC». Ce traitement permet un séchage rapide et sans aucun gondolage *à l'air libre*.

Toutefois il semble que ce soit dans le domaine du matériel de traitement que les plus grands progrès aient été réalisés: moins d'étapes, plus vite, plus simplement, voilà les objectifs que se fixent les fabricants. Kodak a mis tout récemment sur le marché un nouvel ensemble de trois solutions, l'Ektaprint 300, qui permet en 4½ minutes d'obtenir une épreuve-couleur prête au séchage.

Une autre tendance est le révélateur en aérosol. Un troisième fabricant propose un système complet comprenant un ensemble de trois solutions pouvant traiter n'importe qu'elle marque de papier, un jeu de filtres et un calculateur d'exposition ingénieux et fort simple.

Je ne puis toutefois me prononcer sur la valeur réciproque de ces différents produits, car je n'ai pu les mettre à l'épreuve, à l'exception du système Kodak que je connais fort bien. En effet les distributeurs sont plus intéressés à vendre leurs produits qu'à les soumettre à des tests critiques objectifs et aucun d'eux n'a voulu donner suite à la demande que je leur ai adressée dans cet esprit.

Toutefois je suis convaincu que l'amateur peut dès maintenant entrer de plain-pied dans le royaume de la couleur et que les conditions qui prévalent actuellement n'iront qu'en s'améliorant.

(Roland Weber)

Photo hors-texte, R.W.

142 J'apprends, par mes amis, qu'il est maintenant possible de réaliser une photo couleur instantanément, à partir d'une diapositive; qu'en est-il exactement?

C'est très exact. Cette technique à laquelle vous faites allusion, consiste à projeter, à l'aide d'un agrandisseur, une diapositive (dans son petit cadre) directement sur un magasin de film Polaroid Land Film Pack, soit 4 x 5 pouces [10 x 12,5 cm] ou le type #108. Le développement se fait — comme les usagers de l'appareil Polaroid Land le savent — en 60 secondes, ce qui est naturellement instantané, et sans laboratoire, sans produits chimiques, sans flacons, etc. (puisque tout cela est incorporé dans le magasin). La marche à suivre est celle-ci:

a) On utilise un magasin vide, lequel est déposé sur le margeur maintenu en position dans un coin.

b) A la place du film, on aura installé une feuille blanche destinée à faciliter la mise au point de l'image.

c) Tout comme pour le noir et blanc, on glisse la diapositive dans le porte-film (l'émulsion en haut pour avoir une image à l'endroit) et on procède à la mise au point, au cadrage, etc.

d) Tout ce qui précède est fait à l'éclairage normal du labo, soit avec des lampes de sûreté jaunes; ensuite, on substituera au magasin vide, un magasin neuf et on procédera, à l'obscurité totale, à une première exposition test, diaphragme

à f/11 (environ 5 secondes) selon la densité de la diapositive.

e) L'étape suivante consiste à remettre le magasin dans le dos de l'appareil Polaroid et à poursuivre le développement, comme à l'ordinaire. Compte tenu du fait que la lampe de l'agrandisseur #212 n'est pas équilibrée pour une émulsion jour, on devra — et c'est très important — utiliser un filtre gélatine (bleuté) #80 A, entre la diapositive et la lampe (de préférence) ou en dessous de l'objectif. Généralement, les couleurs sont très bien reproduites, et ce procédé se prête à toutes les marques d'émulsions couleur diapositives.

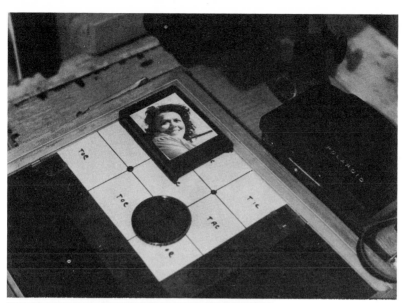

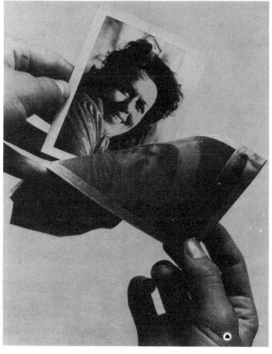

(Voir section couleur)

143 Me conseillez-vous de faire des planches-contact de mes diapositives?

Pourquoi pas, si cela peut mettre un peu d'ordre dans tout ce fatras que constitue généralement l'arsenal de diapositives qu'on trouve chez la plupart des amateurs? Pour des raisons purement pratiques, je vous suggère, pour ce genre de contact, de vous procurer un cadre à tirage par contact mesurant un peu plus de 8 x 10 [20,5 x 25,5 cm]. Avec un tel cadre, vous apprécierez le fait que les diapositives sont vraiment à leur place; déposez-les l'une contre l'autre sur la vitre (émulsion vers vous) et *dans leur monture en carton;* après, suivra la feuille sensible 8 x 10 [20,5 x 25,5 cm] (émulsion vers le bas) et le tout sera pressé par la planche en bois nantie d'un ressort. Ce cadre permet de maintenir les diapositives, sans avoir à les déplacer, dans le cas où il vous faudrait ouvrir ou fermer le cadre à plusieurs reprises. Ai-je besoin de préciser que vos diapositives, ainsi tirées par contact, seront reproduites en négatif noir et blanc sur la feuille 8 x 10 [20,5 x 25,5 cm]? Mais cela est quand même suffisant pour une identification rapide, au lieu d'avoir à ouvrir vos boîtes de diapositives et à les inspecter une à une. Une planche-contact comporte 20 diapositives côte à côte, et la pression exercée par la tireuse est suffisante pour assurer une précision très acceptable de l'image, en dépit du fait qu'elles demeurent dans leur petite monture de carton. Le papier à tirage idéal, à mon avis, est encore le Kodak Panalure (panchromatique et sensible à toutes les couleurs) qui, tout en étant plus rapide, assure une meilleure gradation des tons. La lampe de sûreté devant être, pour ce papier, de la série 10 Kodak (couleur ambre), il faut s'assurer de la placer à au moins 4 pieds [1,20 m] du révélateur, et ne pas l'allumer pendant les 30 premières secondes du développement pour ne pas voiler le papier. Plusieurs professionnels utilisent ce système de mise en classeur de leurs diapositives, bien qu'il soit un peu laborieux.

144 On m'a parlé d'un procédé d'impression pour diapositives dit CIBA-CHROME; comment se compare-t-il au procédé d'impression couleur ordinaire?

A mon avis, il s'agit du procédé d'impression couleur positif-positif le plus sensationnel inventé jusqu'ici. Si vous n'avez pas encore vu une épreuve Cibachrome d'une de vos diapositives, préparez-vous à un choc visuel qui vous émerveillera. C'est la contre-partie, en couleur, du fameux procédé d'imprimerie que l'on nomme héliogravure et au sujet duquel tous sont d'accord pour dire que c'est le summum dans la reproduction mécanique d'une image en noir et blanc.

Hors-texte.

La diapositive finale. Le sigle du P.Q. en couleur, est déposé sur la photo 11 x 14 pouces en noir et blanc. Le tout est photographié de nouveau en couleur diapositive (voir question 146).

(Voir question 143). (Diapositive originale)

Diapositives dites brûlées réalisées selon la méthode de la question 150.

Solarisation (voir question 82).

Séparation de tons couleur réalisée selon la méthode de la question 78.

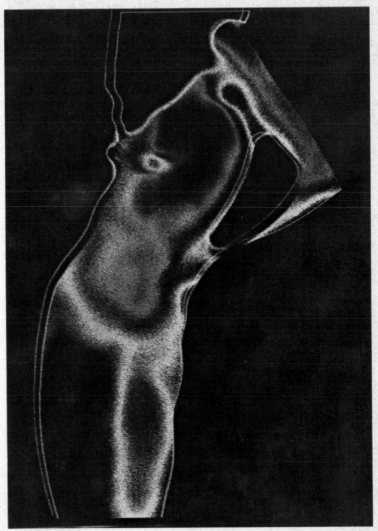

Double équidensité couleur (voir question 83).

Hors-texte.

Puisque l'on perd toujours une «génération» de qualité et de contraste dans un procédé d'impression par rapport à la qualité de la pellicule originale, ainsi devrait-il en être pour le procédé Cibachrome et pour le procédé héliogravure. Mais, ô surprise! rien de tel; bien au contraire, toutes les nuances entre les différents tons de gris, comme entre les différentes teintes colorées d'une diapositive, sont totalement préservées. Certains vont même jusqu'à dire qu'elles sont enrichies.

Le procédé habituel d'imprimerie d'un positif à un positif veut qu'il faille toujours passer par un négatif intermédiaire; pour le Cibachrome, pas question. La diapositive est projetée directement sur un support opaque blanc (fini plastique très rigide) et il n'est pas besoin de procéder à un renversement de l'image et à un deuxième développement. En décrire tout le processus dépasserait le cadre de cet ouvrage; je me contenterai donc de dire que ce procédé, quoique sensiblement plus cher que tout autre, est ce qu'il y a de mieux si vous avez des diapositives hors pair et que vous vouliez en conserver tout l'éclat. Il existe un seul finisseur offrant ce service, à Montréal, à ma connaissance (il s'agit de Photochrome Inc., 2324 rue Mousseau), et le prix pour une reproduction 8 x 10 [20,5 x 25,5 cm] est de $5 ($10 pour 11 x 14 [28 x 35,5 cm] et $20 pour 16 x 20 [40,5 x 51 cm]). C'est dommage, mais, pour le moment, il est impossible pour un amateur de finir lui-même ses diapositives en Cibachrome. Le système est trop complexe et trop onéreux, mais cela viendra sûrement un jour...

Installez les diapositives sur une visionneuse ou une tireuse à contact. La pression devra être également répartie à l'aide d'une vitre et d'une mince couche de foam.

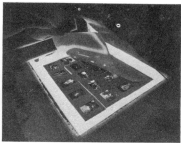

Bien que sensiblement floues, les épreuves-contact comportent suffisamment de détails pour un repérage facile.

145 Dans une revue, j'ai vu des photos en noir et blanc dans lesquelles certains éléments étaient en couleur; comment expliquez-vous ce procédé?

C'est une technique relativement simple et surtout très amusante qui consiste à transformer une photo en noir et blanc (monochrome) en une photo qui n'est pas vraiment en couleur mais vous montre, quand même, un ou plusieurs éléments en couleur. Ce type d'image « attrape-l'oeil » trouve son application surtout dans les annonces publicitaires, lorsqu'il s'agit de faire ressortir un objet, un article ou un produit quelconque, de façon à attirer automatiquement l'œil du lecteur éventuel. Vous y parviendrez. Il vous suffit de photographier un sujet quelconque en noir et blanc et de tirer une épreuve suffisamment grande pour pouvoir — après séchage et montage sur un carton — y déposer un objet coloré à un endroit bien précis, de telle sorte que, une fois ce *« montage » rephotographié avec un film couleur,* on ait l'illusion qu'il s'agit là d'une photo originale. La question que le curieux se pose est la suivante: « Comment se fait-il que cette photo soit à la fois en noir et blanc et en couleur? » Et pendant cette période de réflexion, la publicité fait insidieusement son ravage! Ce qu'il importe de bien retenir dans ce genre d'entreprise, c'est le rapport (la proportion) entre la photo et l'objet à ajouter.

Il faut donc bien planifier ce genre de prise de vue et, plus précisément, s'assurer que la direction de l'éclairage vers la première photo noir et blanc correspond à celle de la deuxième (en couleur), de sorte que les ombres soient dans un même sens; la réalité serait faussée dans le cas contraire. Afin d'en amplifier l'effet ou l'impact, il serait bon que la première photo soit un peu plus grise qu'à l'ordinaire, ce qui fera ressortir d'une manière plus éclatante l'objet coloré. Pour surmonter le problème des ombres, il y aurait peut-être lieu de faire les deux prises de vue par un temps couvert.

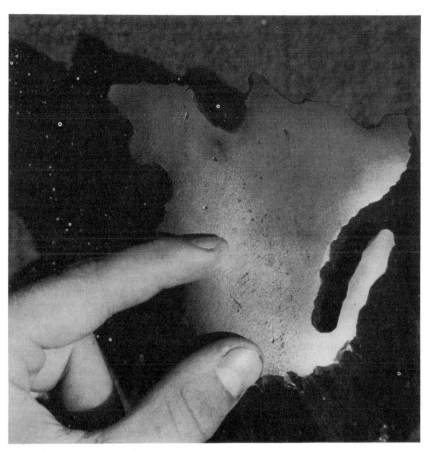

Prise de vue en noir et blanc en
tenant compte de l'espace nécessaire destiné à accueillir le
sigle du PQ.

(Voir section couleur)

146 Est-il possible, pour un amateur moyen ayant un labo pour noir et blanc, de développer lui-même ses films couleur?

Certainement, et c'est très facile. Mon fils de 11 ans s'y adonne avec grand plaisir. Tout ce que vous devez posséder, c'est un certain bagage de patience, en plus d'être méticuleux à l'extrême et d'être en mesure de « lire » et de « suivre » religieusement les instructions relatives au mode d'emploi de produits chimiques. Ces produits sont vendus dans un nécessaire E-4 de Kodak (par exemple), où l'on trouve 5 ou 6 solutions différentes (en poudre ou en liquide), prêtes à être dissoutes et utilisées. La seule chose de rigueur est la température du premier révélateur qui ne doit pas varier de plus de ½ degré en moins ou en plus du degré recommandé. Si ces exigences très délicates peuvent être observées dans le cadre de votre labo pour noir et blanc, allez-y, vous n'aurez aucun problème. Toutefois, vous devrez ajouter à votre équipement de labo 6 petites cuves nécessaires à ce traitement.

Un nécessaire à traitement E-4.

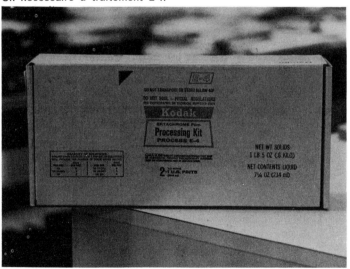

1 Tous les ingrédients nécessaires au développement inversible des films couleur.

2 Une idée du cheminement à suivre pour développer le film couleur (inversible) pour diapositives. Le tout peut s'effectuer dans un laboratoire ordinaire.

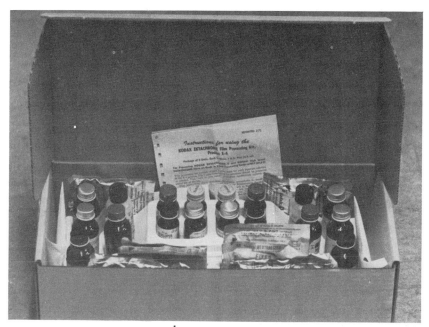

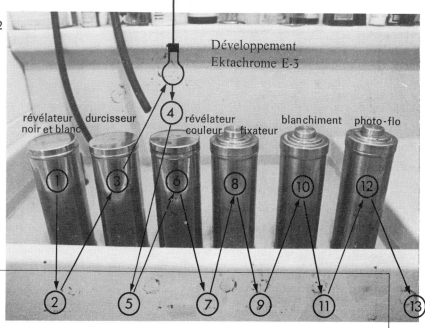

Développement
Ektachrome E-3

révélateur   durcisseur
noir et blanc

révélateur
couleur   fixateur

blanchiment   photo-flo

EAU DE LAVAGE

293

147 Sous quelle lumière me conseillez-vous d'examiner mes diapositives?

Toute source d'éclairage dont la température couleur se situerait entre 3500 et 4500 degrés Kelvin serait très acceptable. Il est faux de croire que la lumière du jour est la meilleure pour l'examen des diapositives; elle comporte beaucoup trop de bleu, et encore faudrait-il l'utiliser par réflexion sur une feuille blanche pour rester dans les limites de température de couleur acceptable. Je pense que le meilleur compromis est encore l'emploi d'une lampe visionneuse sur table ou au mur, dans laquelle il y aurait des tubes néon de type «cold white» (qui sont beaucoup plus bleus que les lampes ordinaires au tungstène), dont la température couleur est d'environ 2900K; en outre, ce matériel émet moins de radiations bleues que la lumière du jour. Une lumière blanche d'une température couleur se situant aux environs de 400 degrés Kelvin est idéale. Bien que l'on tente actuellement de standardiser l'éclairage pour visionner (chez les grands fabricants) à environ 5000 degrés Kelvin, je ne crois pas qu'il faille y attacher trop d'importance.

148 Est-il possible de réchapper un film couleur développé accidentellement?

Certainement pas! En tout cas, pas pour la couleur, sûrement. Il faut donc oublier que c'était un film couleur et tout mettre en œuvre pour au moins tenter d'en tirer des épreuves noir et blanc. La compagnie Kodak nous avise qu'il faut procéder par blanchiment, après avoir lavé le film pendant plusieurs minutes.

Première étape: le tremper dans une solution d'agent mouillant (Foto-Flo), deux gouttes dans 8 onces [0,240 1] d'eau, pendant environ 2 minutes.

Deuxième étape: blanchir (pour diluer la couche opaque de la pellicule) en agitant sans cesse dans une solution composée de 15 grammes d'acide citrique ajoutés à 64 onces [1,920 1] de fixateur rapide Kodak. Laver pendant 15 minutes et sécher. Le temps de blanchiment devra être observé visuellement, et la durée varie généralement entre 8 et 12 minutes. Attention à ne pas effacer toute l'image, car le processus de blanchiment prendra vite l'allure d'une dissolution complète de l'image. C'est un sauvetage «en catastrophe». Bonne chance!

49 Les émulsions chrome ou inversibles peuvent-elles être développées en négatif couleur?

Oui, toutes... à l'exception des Kodachrome qui, de toute façon, ne sont jamais développées par des particuliers, à moins d'erreur. Cette pratique se fait couramment dans les laboratoires des grands journaux, pour des raisons techniques de reproduction qu'il serait trop long d'expliquer ici. On procède donc comme pour une émulsion négative couleur en utilisant le Kodacolor Kit C-22 pour développer la pellicule. Aucun changement notable n'est apporté au processus de développement, si ce n'est au niveau du premier révélateur, où le film demeurera seulement 10 minutes au lieu des 14 prescrites pour les émulsion *color:* Il s'agit tout simplement de diminuer le contraste qui, autrement, (à 14 minutes) serait excessif. Par contre, il ne faudrait pas tenter de développer une émulsion *color* dans un nécessaire à traitement (kit) pour émulsion chrome. L'aventure se révélerait désastreuse...

150 Comment s'y prend-on pour produire des diapositives dites brûlées?

C'est une pratique qui donne souvent des résultats forts spectaculaires. Elle consiste uniquement à tenir une diapositive (sans cadrage) au-dessus d'une flamme, celle d'une allumette ou d'un briquet, par exemple, et de la chauffer suffisamment pour que l'émulsion se transforme en boursouflure ou en une série de petites ampoules qu'on pourrait comparer à de l'écume. On aura choisi, bien sûr, de tenter cette opération en brûlant à l'entour d'un sujet principal, de manière à le faire ressortir, plutôt que de chauffer inconsidérément l'ensemble de l'émulsion. L'opération en soi est très délicate et, souvent (pour ne pas dire toujours), donne des résultats absolument imprévisibles. Il est donc conseillé de se faire deux ou trois copies de la diapositive originale (afin de la conserver intacte en dossier) sur lesquelles on pourra faire toutes les expériences nécessaires. Mais là ne s'arrête pas le procédé. A l'aide d'un duplicateur de diapositives, on fera une copie de la diapositive ainsi brûlée, en l'éclairant par transparence avec, de préférence, une lampe de faible voltage (exemple: une 60 ou 100 watts), ou avec une lampe colorée — ce qui ne manquera pas de donner des effets spectaculaires. En l'absence d'un duplicateur, on encadrera à nouveau la diapositive brûlée et, à l'aide d'un projecteur, on la photographiera directement de l'écran de projection. On peut aussi déposer la diapositive sur un écran à visionner et la photographier avec un objectif normal auquel on aura simplement ajouté une bonnette d'approche #1 ou # 2; cependant, ceci suppose qu'on aura bien camouflé toute la partie entourant la diapositive, afin d'éviter les rayons parasites venant de la visionneuse, rayons qui atténueraient grandement le contraste. Le film Ektachrome type B se prête très bien à la copie de la diapositive brûlée.

(Voir section couleur)

51 J'entends parler de la possibilité de survolter une émulsion couleur pour remédier à certains éclairages trop faibles; pouvez-vous m'en expliquer le pourquoi et le comment?

Il fut un temps où les fabricants disaient: « Non, ne chambardez pas les différentes phases de traitement de nos films, vous risquez de modifier à coup sûr le rendement des couleurs. » A cette époque, ils avaient raison... et aujourd'hui encore; mais, vu l'insistance des usagers à vouloir tirer le maximum des possibilités d'une émulsion, les fabricants ont cédé et ils publient même, à l'occasion, des brochures avisant leurs clients des changements à apporter au développement d'une émulsion qui aurait été volontairement ou accidentellement sous-exposée. Quoique tous les films chrome sauf les KODA-CHROME se prêtent à un accroissement de rapidité, les préfé-rences des « pros » vont toujours aux Ektachrome-X, qui, semble-t-il, supportent un peu mieux les préjudices causés par cette manoeuvre qui ne doit être entreprise que lorsqu'on ne peut faire autrement. En se référant au tableau ci-contre, on constate que pour le film High Speed Ektachrome, dont la sensibilité normale est de 160 ASA (jour), cette sensibilité peut être quadruplée et portée à 640 ASA (en fermant deux crans), en accroissant le temps de développement, tel que suggéré par Kodak, de 6 à 11 minutes dans le premier révélateur. Le procédé inverse peut être valable dans le cas de surexposition accidentelle ou volontaire. Voir tableau.

GUIDE DE DÉVELOPPEMENT SELON LE TEMPS D'EXPOSITION

Exposition de la prise de vue	Ektachrome-X	High speed Ektachrome (jour)	High speed Ektachrome type B	Temps de développement dans le premier révélateur
2 crans de moins	250	640	500	Augmenter de 75%
1 1/3 cran de moins	160	400	320	Augmenter de 50%
1 cran de moins	125	320	250	Augmenter de 35%
NORMAL	64	160	125	Temps de développement normal*
1 cran de plus	32	80	64	Diminuer de 30%
2 crans de plus	16	40	32	Diminuer de 50%

* Selon les instructions du fabricant

152 Quelle différence y a-t-il entre les nécessaires à développement Kodak E-2, E-3 et E-4 pour les émulsions chrome?

Premièrement, je ne saurais dire si, au moment où j'écris ces lignes, il existe encore des «kits» E-2 et E-3; ceux-ci, plus sûrement le E-3, devant graduellement être remplacés par le nouveau (enfin, depuis trois ans) E-4. On sait que le procédé E-2 était utilisé par les grands laboratoires de finition à la chaîne, mais je ne sais pas s'ils l'emploient encore. Quant au E-3 qu'utilisaient les amateurs et les « pros », son règne achève (s'il n'est pas fini), puisque la compagnie Kodak — toujours consciente de la nécessité d'améliorer ses produits — a mis au point (disponible pour tous les amateurs et professionnels qui développent eux-mêmes leurs films couleur) le procédé E-4 qui est très supérieur au E-3. La seule différence entre les E-2 et les E-3 se situait exacte-

ment; tout le reste du processus était, semble-t-il, rigoureusement le même. Le temps de l'opération pour les E-2 et les E-3 était de l'ordre de 70 minutes, tandis que le nouveau E-4 agit en 45 minutes seulement. Voilà un des principaux avantages au point de vue de l'amélioration. En plus, on distingue le E-4 des deux autres par l'existence de la phase de «renversement» (par réexposition) de l'image, qui a été remplacé par un type de révélateur pouvant (chimiquement) inverser l'image. Plus important encore est ce nouveau bain «prétannage» (durcisseur) qui permet à l'émulsion de résister aux hautes températures que réclame le procédé. De 68 degrés F [18.3 °C], cette température est passée à 85 degrés F [29.4 °C], ce qui diminue la durée du développement de plus de 20 minutes.

153 On me dit que c'est aussi facile de développer un négatif couleur qu'un film noir et blanc; est-ce vrai?

C'est essentiellement vrai, bien qu'il faille garder à l'esprit le fait que l'opération en soi est un peu plus critique que pour le noir et blanc. Ne serait-ce qu'au niveau du premier révélateur qui se doit d'être exactement à 68 degrés F [20 °C] de température et parce qu'en fait, toutes les phases du développement doivent être respectées à la minute près. Peut-on en dire autant du noir et blanc? Les Kodak Ektacolor Processing Kits

— tout comme ceux pour développer le chrome — sont disponibles en contenants d'une pinte [1,200 l], d'un demi-gallon [US: 1,920 l, Impérial: 2,040 l], d'un gallon [US: 3,240 l, Impérial: 4,080 l] et de 3½ gallons (US: 13,440 l, Impérial: 14,280 l], sauf erreur. Toutes les informations quant à la durée (longévité) des solutions sont fournies avec l'achat d'un nécessaire (« kit »), ainsi que celles relatives à la température et aux types de contenant dans lesquels ils doivent être conservés. L'équipement nécessaire réside principalement en 5 cuves de bakelite ou d'acier inoxydable, en plus d'une cuve pour le lavage, d'un thermomètre et d'un bon système d'eau courante, afin que toutes les cuves trempent dans l'eau genre bain-marie, ce qui maintient la température établie au départ.

54 Quelle est, selon vous, la raison fondamentale qui m'empêche de développer les films Kodachrome au même titre que les autres chrome?

Ni le photographe amateur, ni le photographe professionnel ne peuvent traiter eux-mêmes les films Kodachrome, pour les raisons suivantes: les émulsions Kodachrome ne sont pas constituées de la même façon que les autres chrome. La différence majeure se situe au niveau des coupleurs, qu'on appelle agents colorants. Pour les Kodachrome, les agents colorants se trouvent incorporés dans les révélateurs que la firme Kodak utilise pour les développer, alors que, pour les autres chrome, ces coupleurs sont incorporés à l'émulsion. Seule la compagnie Kodak et quelques rares grands laboratoires américains peuvent se permettre de tels révélateurs chromogènes successifs, car on l'imagine aisément, tout doit être contrôlé d'une manière rigoureuse-. ment précise. La régénération des produits chimiques, à elle seule, requiert un contrôle électronique tel qu'il est illusoire pour quiconque de vouloir le faire soi-même. Par contre, il est très facile de développer soi-même un film Ektachrome, Anscochrome ou tout autre chrome que ce soit (sauf le Kodachrome), pour peu que l'on respecte soigneusement les notices qui accompagnent ces Kits E3 ou E4 (kit: nécessaire à traitement). Développer soi-même ses rouleaux couleur à la maison ne nécessite aucune imagination, car c'est une opération purement mécanique et ordonnée qui dure environ une heure (voir question no 146).

CHAPITRE 10

les étapes finales

155 J'aimerais que vous m'énumériez les étapes à suivre pour RETOUCHER mes photos en noir et blanc (repiquage).

1) Précisons tout de suite que la retouche des pellicules et le repiquage des épreuves sont deux choses totalement différentes. Celui qui s'adonne à la retouche des films est généralement un expert qui, très souvent, n'est pas du tout un photographe. Aussi, est-il très rare que ce spécialiste tente de retoucher une pellicule 35 mm, celle-ci étant trop petite. Ce qui nous intéresse ici, c'est le repiquage final des épreuves. Ce n'est pas une technique facile, j'en conviens, et nul ne pourra vraiment bien la maîtriser qu'avec de la pratique, beaucoup de pratique. Repiquer des photos, c'est la rançon qu'il faut payer pour ne pas avoir pris toutes les précautions nécessaires en vue d'éviter la poussière sur les films... Je précise tout de suite que si vous êtes nerveux de la main ou si vous souffrez de la maladie de Parkinson (pauvre vous), il vous faudra abandonner le projet ou faire appel à un bon copain.

2) Le produit idéal pour le repiquage est à mon avis le Spotone. Ce produit vendu en trois petites bouteilles, ressemble à de l'encre; elle sont numérotées 1, 2 et 3 et on y retrouve respectivement l'inscription « Blue black », « Olive black » et « Neutral base black ». Notez qu'elles se vendent $1.75 chacune et devraient vous durer au moins 2 ans. Personnellement, je n'ai jamais utilisé que le # 3, soit le neu-tre. En plus, je ne me sers que d'un petit pinceau #00, et ceci, aussi bien pour les petits points blancs que pour les lignes blanches. Ma méthode de « déneigement» (terme qu'on utilise souvent dans le métier pour signifier repiquage) est exactement la même pour un papier fini mat ou glacé.

3) Cette teinture ou colorant est aussi vendue par la firme Kodak, mais sous une autre forme, c'est-à-dire solide au lieu de liquide. Mes préférences allant pour la méthode sèche, voici comment je procède avec le Spotone liquide: je verse quelque 20 gouttes de ce liquide sur une vitre, je l'étends bien à l'aide du petit pinceau, et le laisse sécher quelques heures. Cette « palette» (comme pour le peintre) de Spotone séché pourra me servir pour des centaines d'épreuves. J'utilise donc ce produit déshydraté en *humectant* mon pinceau entre mes lèvres, de sorte qu'en le promenant délicatement sur le Spotone (voir photos ci-contre), celui-ci se *détrempe* et adhère facilement au pinceau. Le secret est de procéder en un mouvement *rotatif du pinceau* entre les lèvres et sur la vitre, de manière à ce qu'il soit toujours TRES POINTU, ce qui est très important (rassurez-vous, ce n'est pas poison et ça ne goûte rien).

Le Spotone est déversé sur une vitre.

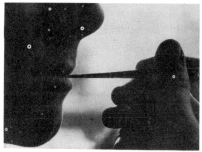

Pas pour croquer mais simplement pour humecter le pinceau afin de diluer le Spotone.

Chaque petit point blanc est repiqué un à un. Les points noirs le sont avec un agent de blanchiment domestique.

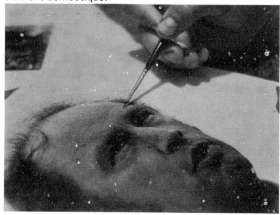

4) Au tout début, cette première *trempette* — effectuée en tenant le pinceau à un angle de 45 degrés — me donne un pinceau très noir qui m'obligera à repiquer dans les plages les plus foncées de l'épreuve, ce qui va de soi. Donc, mon pinceau bien gorgé de Spotone *noir* peut maintenant être *dilué* progressivement en le passant de mes lèvres à une feuille de papier (de préférence une photo inutilisable ayant le même fini que la photo à repiquer), toujours en un mouvement rotatif, jusqu'à ce que j'aie obtenu la *teinte de gris* correspondant au point que je veux repiquer. Il est bien évident que plus les poussières ou les petites lignes blanches à repiquer sont pâles, plus il faudra diluer. Lorsqu'il s'agit de réparer une grosse tache sur un fond gris moyen, il faut prendre son courage à deux mains (et un pinceau) et tenter de reconstituer à l'aide d'*infimes petits points* une *trame de grains* . . . ce qui n'est pas facile mais, avec beaucoup de minutie et de dextérité, vous y arriverez.

5) La règle fondamentale du repiquage consiste à toujours utiliser une teinte de gris *plus pâle que le point à repiquer,* quitte à repasser plusieurs fois au même endroit et en augmenter ainsi progressivement la densité. Si votre fixateur est trop fort en durcisseur, ne vous surprenez pas si le Spotone n'adhère pas. Dans ce cas, il vous faudra recourir à une solution de carbonate de sodium. Diluez 1 cuillerée à soupe de ce produit dans 1 pinte [1,200

l] d'eau et faites tremper l'épreuve pendant 15 minutes, puis séchez à nouveau. Patience . . . patience . . . patience . . .

Hors-texte.

156

Pourriez-vous m'indiquer un moyen simple pour coller une photo avec de la colle ordinaire? Car je ne suis pas équipé pour faire un montage à sec.

Vous n'êtes pas équipé pour effectuer un montage à sec? Pourtant, tout ce que cela vous demande, c'est un fer à repasser et une boîte de feuilles Fotoflat 8 x 10 [20,5 x 25,5 cm]. Le résultat n'en sera que plus propre, croyez-moi! Néanmoins, il est aussi très facile de monter une photo par le procédé humide, c'est-à-dire avec de la colle ordinaire; finalement, c'est peut-être plus économique, qui sait? Il faut d'abord se demander si la photo sera montée avec ou sans bordure de carton... avant de commencer l'opération. Ce collage humide à la colle donne toujours des photos qui gondolent exagérément. Pour remédier à ce problème, il faudra procéder au collage d'une autre épreuve (une qui a été manquée, de préférence), à l'endos, pour assurer l'équilibre et la planéité du montage. Il faut donc tremper les deux épreuves dans un bassin d'eau tiède assez longtemps pour les rendre moiles. Pendant ce temps, vous étendrez de la colle blanche ordinaire (soluble à l'eau) sur la surface du carton de montage. Elle devra avoir la consistance d'une crème épaisse. Les deux épreuves sont ensuite sorties du bassin d'eau, épongées sur le côté de l'émulsion seulement pour enlever le surplus d'eau, puis déposées sur le carton en exerçant une pression égale et délicate du centre vers les bords. Les quelques bavu-

res de colle qui seraient déposées sur l'émulsion seront enlevées immédiatement et très facilement avec un linge humide. Le procédé est le même pour le collage de la photo à l'endos. Si l'on désire une photo *sans bordure,* il est préférable de la coller AVEC la bordure (la bordure de l'image, je veux dire) et de couper celle-ci avec un couteau Exacto, seulement quand le montage sera sec.

La colle ordinaire (soluble à l'eau) est étendue sur la surface à coller. Pour plus de facilité, cette colle devra être rendue presque liquide.

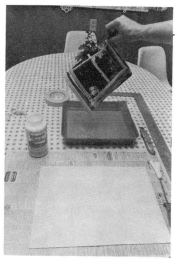

La photo à coller est sortie du bain d'eau, égouttée pleinement...

...puis déposée sur un carton à l'endroit désiré...

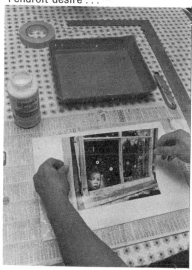

...pour être ensuite essuyée avec un linge humide ou une raclette en caoutchouc. Il est préférable de coller une autre photo (périmée, mauvaise ou autre) à l'endos pour l'empêcher de se gondoler.

1) Jusqu'à tout récemment, le carton était encore le matériel le plus utilisé parce qu'il est pratique, disponible, léger aussi, et permet de monter même les photos de grandes dimensions. Cependant, depuis une dizaine d'années, il est devenu courant d'employer des panneaux de matériau pressé qu'on appelle masonite.

2) Ce matériau se présente en planches de différentes grandeurs et épaisseurs, et il est relativement bon marché. Ainsi, une feuille de 4 x 8 pieds [1,22 x 2,5 m] peut être découpée avec une scie ordinaire et donne, au choix, 14 morceaux 16 x 20 [40,5 x 51 cm], 8 morceaux 20 x 24 [51 x 61 cm] ou 6 morceaux 24 x 40 pouces [61 x 76 cm], avec en plus quelques retailles. Le masonite de 4 x 8 pieds [1,22 x 2,5 m] avec un fini dur et d'une épaisseur de 1/8 de pouce [0,3 cm], lisse sur un côté, s'obtient chez tous les bons vendeurs de matériaux de construction, au prix de $3.50 [17,50 F]; il faut compter le double pour une épaisseur de 1/4 de pouce [0,6 cm]. Ce prix est, en fait, de beaucoup inférieur à celui du « pebble board » (carton de 1/16 de pouce: 0,15 cm — d'épaisseur) et il offre, en outre, l'avantage d'être plus rigide.

3) Je dois toutefois ajouter — à la défense du carton — que le masonite pèse quatre fois plus que le carton, à dimensions égales. Ce qui ne manque pas de soulever des problèmes de transport lorsqu'on doit en déplacer quelques centaines de pièces. Le masonite de 1/16 de pouce [0,15 cm] d'épaisseur convient parfaitement à tous les formats ne dépassant pas 20 x 24 pouces [51 x 61 cm]; plus grand, il risque de « courber » et il faudrait alors employer celui qui offre une épaisseur de 1/4 de pouce [0,6 cm], beaucoup plus lourd.

4) Mais un nouveau matériau a fait son apparition... et il déclasse tous les autres. Il s'agit du « foam core », vendu en feuilles de 4 x 8 pieds [1,22 x 2,5 m] (aussi) et de 1/4 de pouce [0, 6 cm] d'épaisseur pèse cinq fois moins qu'un morceau de carton de 1/8 [0,3 cm] de pouce d'épaisseur et mesurant aussi 16 x 20 [40,5 x 51 cm]. Autrement dit, ma petite fille de 8 ans soulève sans aucun effort, à bout de bras, un montage de 100 photos 16 x 20 fixées sur ce « foam core ». Une quantité équivalente montée sur du masonite de 1/4 de pouce [0,6 cm] réclamerait la force de deux adultes bien musclés. Qu'en dites-vous?

5) Est-il plus cher? Un peu plus, soit $8 la feuille de 4 x 8 pieds [1,22 m x 2,5 m]. Si vous l'achetez à coup de 10 feuilles à la fois, le prix de revient par feuille sera de $7, et à coup de 100 feuilles...

$5 chacune! A Montréal, on peut se le procurer chez Studio Spécialités Ltée, 120, rue Saint-Paul est.

6) Ce matériau est d'une rigidité et d'une planéité à toute épreuve et on peut le découper avec un couteau, plus aisément que du carton. On l'emploie avec de la colle pour les montages humides, et avec du Dry Mounting Tissue pour les montages à sec.

Pour un collage humide, il est fortement suggéré de déposer un poids sur la photo jusqu'à la fin du séchage, pour éviter que la feuille ne « courbe » sous l'effet de tiraillements provoqués par le rétrécissement de l'épreuve [toute épreuve photographique rétrécit au séchage]. S'il y a courbure, vous pourrez coller une autre feuille de papier photographique à l'endos, pour contrecarrer ce phénomène.

Trois différents matériaux: le Foamcore, le Massonite et le carton ordinaire.

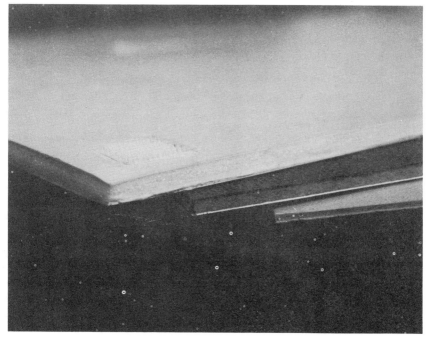

158 J'ai beaucoup de difficulté à monter mes photos 8 x 10 [20,5 x 25,5 cm] (fer à repasser). Il y a toujours ces poches d'air qui reviennent sans cesse. Que faire?

1) Lorsque des poches d'air apparaissent sur une photo, il n'y a qu'une cause: L'HUMIDITE. C'est donc dire que les deux surfaces à coller doivent être très sèches. Pour y parvenir, il faut absolument les chauffer avant le collage. La température du fer ne doit pas dépasser 225 degrés F [107 °C] (ajustez le fer à «soie» ou à «fibre synthétique») et, tout comme pour du coton ordinaire, vous repassez la photo de face et de dos, après l'avoir recouverte d'un papier d'emballage ou semi-transparent pour ne pas l'égratigner. Répétez la même opération sur la surface du carton à montage. Le tout ne devrait pas durer plus de 20 à 30 secondes, ce qui est suffisant pour éliminer l'humidité et procéder au montage.

2) Est-il nécessaire d'insister sur la propreté de la table de travail? Souvenez-vous que la moindre petite poussière oubliée entre la photo et le carton peut gaspiller le montage et qu'il est inutile d'espérer pouvoir l'enlever après. D o n c, avant de coller, il faut procéder à l'examen minutieux des quatre surfaces destinées à être collées ensemble, ce qui n'est pas de tout repos.

3) Quant à la façon de monter votre photo 8 x 10 [20,5 x 25,5 cm] (collage à sec), la procédure et le matériel utilisé sont exactement les mêmes que ceux décrits à la question no 156 à l'exception du fer à repasser. Là où cela devient intéressant, pour l'amateur, c'est au niveau du prix, le fer ne coûtant que $8 à $12, alors que la colleuse se vend (selon la dimension) de $125 à $500. Assurez-vous que le fer est très propre et très lisse, avant de commencer. L'usage d'une feuille semi-transparente est préférable à tout autre papier. Elle vous permet de voir la photo au travers et de ne pas revenir trop souvent au même endroit (repassez en partant du centre vers les bords). Le repassage s'effectue par des mouvements lents mais continus, en évitant de laisser reposer le fer au même endroit plus de 2 ou 3 secondes. En utilisant la pointe du fer à repasser (pression très légère), vous pressez le centre du tissu collant au dos de la photo, puis vous retournez celle-ci pour ensuite coller les quatre (deux suffiraient) coins du tissu ou carton,

---

1 Avec la pointe du fer à repasser on colle le Dry Mounting Tissue au centre de l'endos de la photo, puis avec une équerre on coupe et la bordure et l'excédent de ce tissu avec un exacto.

2 En traçant un grand X au crayon d'un coin à l'autre du carton, on pourra facilement centrer la photo en laissant une bordure égale de carton blanc.

1

2

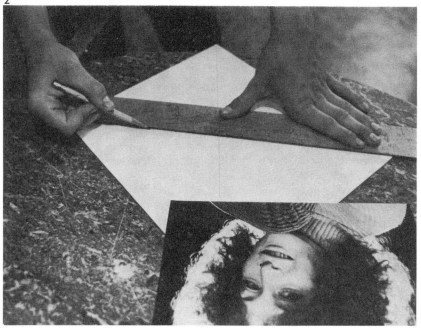

en soulevant un à un les coins de la photo.

4) Les résultats découlant de la méthode du fer à repasser seront tout aussi efficaces et permanents que ceux obtenus avec une grosse presse. Il n'est pas question d'utiliser un fer à vapeur, Dieu vous en garde! Si vous n'en avez pas d'autre, vérifiez bien qu'il ne contienne plus aucune goutte d'eau. Vous devez agir avec prudence, lors du repassage de la photo, de manière à ne pas arrêter votre mouvement, ce qui laisserait transparaître, sur la photo, les petits trous destinés à l'échappement de la vapeur.

5) Si vous devez centrer votre photo au beau milieu du carton en laissant une bordure large et égale tout autour, la tâche vous sera plus facile si vous vous aidez d'un crayon. Vous marquez le carton de montage d'un grand X, en traçant les diagonales d'un angle à l'autre, et chacun des coins de la photo devra s'arrêter à égale distance de ces lignes lorsqu'elle est déposée sur le carton. Dans le cas où certaines de vos photos seraient «arrondies», bombées comme des tuyaux de poêle, vous n'avez qu'à en humecter l'endos avec un linge, et à les repasser jusqu'à ce qu'elles soient assez aplaties pour procéder au montage sans difficulté. Je regrette, mais une photo plissée lors du montage à sec est immanquablement perdue.

6) Comme dernière remarque, je vous conseille de tailler votre feuil-le de Dry Mounting Tissue (Kodak) un peu plus petite que votre photo. A peine 1/32 ou 1/16 de pouce [0,15 ou 0,08 cm] de moins pour la simple raison que ce tissu, qui va être rendu collant sous l'effet de la chaleur, a tendance à s'étendre un peu. Ainsi, il épousera exactement les dimensions de la feuille.

La photo est déposée sur le carton en repérage exact et deux des coins sont collés avec la pointe du fer sur le carton.

A l'aide d'un papier transparent, on procèdera avec une pression égale et continue pour un collage uniforme.

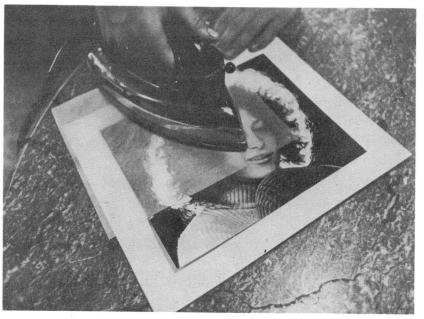

159

Pouvez-vous m'énumérer les étapes à suivre pour bien réussir un collage à chaud, à partir d'une presse spéciale, pour mes photos 16 x 20 [40,5 x 51 cm]?

1) Dans le jargon du métier, on emploie souvent le terme «monter» une photo. Je ne sais pas si le mot est juste, mais il n'en demeure pas moins que cette opération requiert beaucoup de patience, de minutie. Si elle est bien réussie, ce sera, en quelque sorte, la récompense de toutes vos heures de travail passées en chambre noire pour réaliser une photo digne d'être exposée. Il ne faudrait pas croire que c'est une opération de moindre importance que le tirage lui-même. Au contraire, c'est peut-être la plus importante, puisque, à mon avis, elle constitue la synthèse finale de tout le processus de prise de vue, de développement, de tirage, etc. Il ne faudrait pas faire comme ce type qui, après avoir passé des heures à composer une belle lettre, en arrive à la signature et... laisse tomber par mégarde une goutte d'encre sur la feuille.

2) Une colleuse à chaud est un outil de labo qui coûte généralement assez cher, donc est rarement à la portée de toutes les bourses. Pour ceux qui désireraient s'en procurer une, voici à peu près ce à quoi elle ressemble. Il s'agit d'une plaque polie — de différents formats — à l'intérieur de laquelle se trouve un élément chauffant qui répartit la chaleur également sur la surface totale. Cette plaque est soutenue par deux bras en forme de fer à cheval (voir illustra-

tion), ancrés sur une base très lourde et très solide. L'espace entre la base et la plaque chauffante est suffisant pour y glisser une grande photo et la feuille de carton sur laquelle elle sera collée. L'élément chauffant est d'une puissance d'environ 1,000 à 3,000 watts. L'appareil est muni d'un thermomètre et d'un système de clignotant audible, faisant fonction de minuterie. La partie supérieure de la base est recouverte d'un caoutchouc mousse de 1½ pouce [3,7 cm] d'épaisseur, lequel est lui-même recouvert d'un feutre vert lui permettant d'absorber une pression égale sur toute la surface de la photo. Les principaux fabricants sont Seal et Kindermann, et les formats disponibles varient entre 11 x 13 [28 x 33 cm] et 20 x 24 pouces [51 x 61 cm].

3) La première opération pour monter une photo — et, de loin, la plus importante — consiste à réchauffer la photo et le carton (chacun son tour), afin d'en éliminer toute humidité et d'assurer ainsi un collage sans bulles d'air entre la photo et le carton. Lorsquon a branché l'appareil, on remarque qu'une petite lumière verte s'allume; elle s'éteindra lorsque l'appareil aura atteint le degré de chaleur sélectionné; pour les photos en noir et blanc, cette température

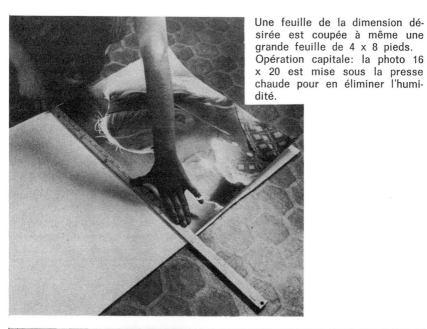

Une feuille de la dimension désirée est coupée à même une grande feuille de 4 x 8 pieds.
Opération capitale: la photo 16 x 20 est mise sous la presse chaude pour en éliminer l'humidité.

Une longueur de Dry Mounting
Tissue est collée à l'aide de ce
fer spécial au centre de l'endos
de la photo 16 x 20.

La photo est déposée sur le
Foam-core puis le tissu est collé
à deux des coins.

L'ensemble — couvert d'une
feuille de papier protectrice —
est placé à moitié sous la presse
chaude. Une seconde opération
collera l'autre moitié.

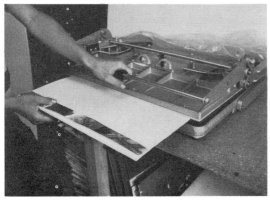

ne devrait pas dépasser 270 degrés F [132 °C]. Lorsque la plaque chauffante est pressée sur la photo à monter, une petite lumière rouge s'allume en clignotant. Il est bon de compter ces clignotements, chacun équivalant à une demi-seconde. Généralement 25 secondes (soit 50 clignotements) suffisent pour assurer un collage parfait.

4) La deuxième opération consiste à découper une feuille (s'il s'agit d'un rouleau) d'adhésif (soit du Dry Mounting Tissue, soit du Fotoflat) de la même grandeur que la photo. La photo est placée sur une feuille propre, la face contre celle-ci. On y dépose, à l'endos, la feuille de tissu adhésif que l'on colle juste au centre avec un petit fer chaud (tacking iron) ou avec la pointe d'un fer à repasser. La photo est ensuite placée, face en haut, sur le carton servant au montage et bien disposée. Il s'agit maintenant de soulever chacun des coins de la photo (et non l'adhésif) pour y coller chaque coin de l'adhésif. La température du petit fer est d'environ 125 degrés F [51.6 °C] (chaleur moyenne).

5) Le tout est ensuite glissé sous la plaque chauffante, en prenant soin de couvrir la photo d'une feuille de papier propre pour éviter qu'elle ne vienne en contact brutal avec la plaque. Rabattez ensuite la plaque chauffante à fond, de manière à ce qu'elle demeure bien en place. Comptez environ 25 à 30 clignotements de la lumière rouge, relevez la plaque . . . et le tour est joué. Il ne reste plus qu'à découper tout autour ce qui dépasse avec une tranche.

160

J'ai vu des photos montées (sans bordure) sur un support dont elles enveloppaient le pourtour. Comment y arrive-t-on?

Il s'agit sûrement d'un montage à la colle, soit sur un support de contre-plaqué, soit sur un support de bois pressé dont l'épaisseur devait être supérieur à ¼ de pouce [0,6 cm]. Souvent, le photographe ajoute à l'endos du carton ou du masonite, un cadre de bois juste en bordure de ce dernier pour lui donner davantage d'épaisseur, celle-ci pouvant atteindre ½ pouce [1,2 cm]. Le photographe en profitera pour envelopper le tout avec sa photo et brocher cette dernière à l'endos. Ce procédé donne un certain relief et permet une finition plus professionnelle.

Vue montrant le côté de l'image enveloppant le carton de montage.

La même photo grand format vue de dos, montrant les agrafes.

318

161 Quel est le meilleur tissu pour le collage à sec?

Il y en a trois sortes, que je sache. Le Kodak Dry Mounting Tissue qui, une fois collé, ne se décolle plus (si la photo plisse au collage, elle est perdue pour toujours). Il y a aussi le MT-5, de la firme Seal, qui est identique au Dry Mounting Tissue et qui, lui non plus, ne se décolle pas. Par contre, la firme Seal fabrique un autre produit, le Fotoflat, qui, lui, colle très bien selon le procédé de collage à sec, mais qui a l'énorme avantage de pouvoir être décollé lorsqu'on le chauffe de nouveau, ce qui permet de réutiliser la photo.

Le Foto-Flat est collé à l'endos de la photo ...
...puis collé à son tour sur deux des coins du carton à monter ...
... l'excédent du Foto-Flat est ensuite découpé et collé au carton selon la méthode du fer à repasser ou la monteuse Scol. Il suffit de le réchauffer à nouveau pour le décoller.

162 Quel est, réduit à son minimum, l'équipement de base nécessaire au collage et au montage des photos?

Les outils indispensables: une équerre en T, un bon couteau Exacto (ou toute autre marque) mais avec la lame interchangeable, peut-être un rouleau caoutchouté, un balai ou racloir en caoutchouc, un fer à coller, une colleuse à sec (la plus grande possible, selon vos moyens), un crayon à mine et une gomme à effacer. En plus, bien sûr, il y a les différents finis de carton à montage qui sont offerts dans plusieurs épaisseurs et grandeurs. Et puis... une bonne photo, non?

163 Qu'entend-on par le procédé dit laminage des photos?

La première chose qui nous vient à l'esprit en parlant de laminage, c'est d'abord ces documents précieux ou ces cartes d'identité que l'on devra conserver longtemps et qui devront défier toute usure. Toute documentation appelée à être manipulée fréquemment et intensément, finit tôt ou tard par être passée au laminage. Quoi de plus simple, en effet, que de coller un document en sandwich entre deux feuilles de plastique, et de le rendre ainsi totalement étanche à l'eau, à l'air et à l'humidité? Encore fallait-il y penser! Il n'est pas exagéré de dire que, de tous les procédés de conservation dans ce domaine, celui-ci est le meilleur. Il est permanent. Voilà maintenant qu'on lamine des photos! Et c'est tout aussi facile que de les monter! D'ailleurs, la technique pour y parvenir est strictement la même. En outre, voici une autre des commodités qu'offre la colleuse à sec, parmi bien d'autres. Ce procédé assure une garantie contre le jaunissement des épreuves, puisque le plastique ou polyéthylène utilisé à cette fin est spécialement traité pour filtrer les rayons ultra-violets, protection non négligeable, notamment pour les photos en couleur. Avant d'être traitées ainsi, les photos devront être lavées deux fois plus longtemps que d'habitude. En plus des trois finis plastique transparent (glacé, semi-glacé, «pebble»), on trouve tout un choix de différentes couleurs. Les vendeurs de matériel pour artistes ou de matériel photographique possèdent généralement cette marchandise avec toutes les indications quant au mode d'emploi.

54 Est-ce vrai que plusieurs professionnels emploient la colleuse à sec pour sécher leurs photos?

Je ne crois pas qu'ils utilisent la colleuse à sec pour sécher leurs photos, mais plutôt pour les aplanir, après qu'elles aient séché à l'air libre. Je m'adonne à cette pratique si je ne suis pas pressé. Elle consiste — pour préserver le délicat fini des photos mates — à laisser sécher les photos à l'air libre en les déposant un peu partout sur du papier propre, sur le plancher ou sur une table, pour quelques heures; après quoi, il ne reste plus qu'à les ramasser et à les passer dans la colleuse [200 °F: 93.3 °C] entre 15 et 20 secondes, ce qui leur donne une planéité parfaite.

165 Quel type de monture (carton, plastique ou métal) me conseillez-vous pour mes diapositives, et comment corriger les hors foyer qui surviennent à la projection?

Tous les amateurs reçoivent leurs diapositives, des grands laboratoires, montées sur carton. Par contre, plusieurs « pros » ou amateurs avancés exigeront que leurs films soient retournés non montés. En raison du fait qu'ils auront à préparer des programmes audio-visuels — d'où l'utilisation répétée des diapositives dans le cadre de conférences, etc. —, ils préféreront monter eux-mêmes celles-ci. Ayant donc le choix, il est normal qu'ils utilisent un type de monture plus rigide, soit en plastique, soit en métal. Dans bien des cas, ils n'hésiteront pas à les assembler entre deux verres extra-minces qui, en plus de les protéger contre la poussière et les égratignures, éviteront aussi les anneaux de Newton, si ces verres sont spécialement traités à cette fin. Il est très facile de monter soi-même ses diapositives; il suffit de se procurer une petite sertisseuse pas chère que l'on trouve en vente dans tous les bons magasins de matériel photographique. Il est très important que les diapositives soient protégées — lors de la projection — contre la chaleur excessive du projecteur; celle-ci pourrait gondoler la diapositive, entraînant ainsi automatiquement un hors foyer très désagréable qu'il faut constamment corriger. Cette remarque s'adresse aux usagers de projecteur à foyer non automatique. Cet embêtement se produit régulièrement avec les diapositives montées sur carton; on conseille de procéder au réchauffement de celles-ci avant la projection: l'humidité ayant disparu, le gondolage (bonbonnement) en sera ainsi grandement diminué.

Hors-texte.

166 Quelle est la façon la plus sûre et la plus rapide d'identifier le BON CÔTÉ d'une diapositive?

En examinant bien une diapositive, on constate que les laboratoires qui les montent, procèdent tous de la même façon; c'est-à-dire qu'ils estampillent leur marque de fabrique du *côté de l'émulsion.* L'autre côté (glacé ou luisant) sert généralement à inscrire des notes pertinentes à l'exposition ou au sujet. Ce côté glacé est aussi celui au travers duquel on devra examiner la diapositive pour la voir *à l'endroit.* Pour ce qui est des films Kodachrome et Ektachrome développés par cette firme, vous noterez que le « K » est toujours situé *en haut à gauche* pour les diapos cadrées *horizontalement* et *en bas à gauche* pour celles cadrées *verticalement;* ceci constitue une espèce de « coin » de repère. Pour les autres montures venant de différents finisseurs, ainsi que pour celles que vous vous procurez « vierges » et que vous allez monter vous-même, il est très important que vous vous fassiez un point de repère dans un des coins, de sorte que vous puissiez rapidement les insérer dans un carrousel sans avoir à les regarder par transparence, une à une, chaque fois que l'occasion l'exige. Cette indication peut avoir la forme d'un gros point ou d'un X fait à l'encre. L'objectif d'un projecteur, tout comme celui d'un agrandisseur, *inverse l'image.* C'est donc dire qu'il faut disposer les diapositives la *tête en bas* et *le côté glacé* face à la lampe de projection, lorsqu'on prépare les petits tiroirs ou les carousels.

167 Quelles seraient, selon vous, les conditions de température idéales pour assurer une longue vie à mes diapositives?

On ne devrait jamais mettre en classeur une diapositive sale ou usée (la monture, s'entend) au point que la monture de carton en est toute plissée et défraîchie. Ces petites montures coûtent la minime somme de deux sous chacune et, lorsqu'elles ont perdu leur « corps », on a tout intérêt à les démonter, à les bien nettoyer — s'il le faut — avec une solution de trichloréthylène et à les remonter dans un cadrage neuf. Ces montures sont ainsi conçues qu'on peut les coller en quelques secondes; il suffit, en fait, de glisser la diapositive entre les deux petits cadres et d'appliquer une légère pression sur les quatre bordures à l'aide d'un fer à repasser réglé à environ 200 degrés F [93.3 °C]. Il en va de même pour les diapositives qu'on monte sous verre, quoique, ici, l'opération soit un peu plus délicate et nécessite beaucoup de soins et d'attention. Les *quatre surfaces* qui viennent en contact les unes avec les autres (deux vitres et la diapositive), doivent être débarrassées de la poussière et des empreintes digitales avant l'assemblage. Frotter les vitres avec un coton antistatique est tout indiqué pour ce nettoyage. L'atmosphère ou, si vous voulez, les conditions de température propres à la bonne conservation des diapositives sont les mêmes que celles concernant les films couleur. Retenons qu'un sous-sol est *trop humide* et qu'un grenier est *trop chaud* pour y entreposer les diapositives ou les films couleur. Pour prévenir une catastrophe, on devra donc s'assurer que le degré d'humidité se situe entre 25 et 40% et que la température n'excède pas 72 °F [22.2 °C]. On a tout à gagner à laisser les diapositives dans leurs boîtes originales (sauf celles qu'on s'apprête à visionner incessamment) ou à les ranger dans des carrousels, par ordre de projection et suivant un thème donné. S'il ne se trouve, dans la maison, aucun endroit suffisamment sec, on n'aura d'autre choix que de placer des petits sachets de « sel de silice » (agent desséchant) dans les boîtes des diapositives. Attention! L'absence presque totale d'humidité peut aussi être catastrophique. C'est-à-dire qu'en dessous de 20% et pour des périodes prolongées, les films deviennent très vulnérables aux cassures.

Du pain (ou des diapositives) sur la planche!

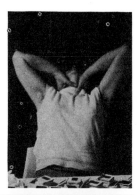

168 Pouvez-vous m'indiquer une façon simple d'accrocher mes photos au mur, sans risque de décollement?

S'il s'agit d'une photo non montée ou, tout au moins, pas trop lourde, le ruban gommé de 2 pouces [5 cm] de large est tout indiqué. Le truc est de savoir comment coller ce ruban gommé afin que, le poids de la photo (considérant que tout tend à descendre vers le bas, sur cette planète) cherchant à tirer vers le bas, le ruban oppose une résistance dans la direction opposée. Les photos destinées à être collées en permanence au mur ou dans un album peuvent l'être grâce à un papier gommé des deux côtés. En fait, il existe une grande variété de ces produits adhésifs, plus particulièrement ceux offerts par la firme 3M qui se spécialise dans le matériel photographique. Depuis quelques années, existe un nouveau procédé, au chapitre de l'accrochage des photos sur le mur. Il s'agit, pour ceux qui disposent d'un budget suffisant, de couvrir (du plancher au plafond) un des murs de la maison avec du tapis Ozite gris, sur lequel on placera des photos de tous les formats désirés (voir illustration ci-contre). L'adhésif utilisé dans ce cas bien précis, n'est nul autre que de petites bandes de ce produit nommé « hook'n loop » vendu par la compagnie Velcro et qu'on peut se procurer dans tous les magasins de tissus. On a découvert que ce matériel adhère particulièrement bien au tapis Ozite. Le « hook n' loop », on le sait,

remplace efficacement les fermetures éclair ou boutonnières quelconques. A titre d'exemple, prenons une photo 16 x 20 [40,5 x 51 cm] qui serait montée sur un carton de 1/8 de pouce [0,3 cm] d'épaisseur, ce qui est léger; il suffit de fixer un morceau de « hook'n loop » à chaque coin avec de la colle ordinaire (dimension: 1 x 1 pouce: 2,5 x 2,5 cm); la photo est ensuite pressée contre le mur recouvert d'Ozite et y adhère parfaitement bien. L'avantage est qu'on peut la décoller instantanément ou la déplacer au besoin. Pour des cadres plus lourds, on utilisera un morceau de matériel (qui se vend en rouleau) de 1 x 3 pouces [2,5 x 7,5 cm].

Sous-sol bien décoré.
Quatre petits morceaux de Velcro (Hook-n-loop) de 1/2 pouce carré collés à la colle ordinaire suffisent à supporter une photo de 20 x 24 pouces.
Les photos peuvent être collées, décollées et recollées en moins de deux secondes sur une simple pression de la main. A noter le mur couvert de tapis Ozite gris.

BONNES
PHOTOS

INDEX

CHAPITRE 1

La chambre noire (construction du labo, etc.)

CHAPITRE 2

Equipement général — Quincaillerie

CHAPITRE 3

Matériel photographique (papier, chimie, etc.)

27 — L'action d'un révélateur pour film ou papier.
28 — Les éléments composants d'un révélateur.
29 — Brève évaluation des types de révélateur.
30 — Comment conserver ses produits chimiques.
31 — Pourquoi utiliser des papiers sensibles périmés.
32 — Le pourquoi du bain d'arrêt.
33 — L'importance du fixateur.
34 — Les papiers photographiques.
35 — Les émulsions photographiques spéciales.
36 — Le tout nouveau papier RC (resin coated).
37 — Les chimies pour « renforcer » ou « affaiblir » un film.

CHAPITRE 4

Principe du tirage positif

38 — Qu'est-ce qu'un film doux, contrasté, terne, etc.
39 — Où placer le filtre à contraste?
40 — Les caractéristiques de la pellicule agfa contour.
41 — Les filtres et les papiers multi-contraste.
42 — Le rôle du diaphragme de l'agrandisseur sur l'épreuve.
43 — Comment évaluer le contraste d'une épreuve.
44 — Les papiers à gradation ou multi-contraste.
45 — Comment changer le contraste en changeant le révélateur.

CHAPITRE 5

Tirage conventionnel

CHAPITRE 6

Tirage à effets spéciaux

CHAPITRE 7

e panier aux crabes . . .

CHAPITRE 7 (suite)

Le panier aux crabes ...

CHAPITRE 8

Toutes les erreurs et défauts prévenus et corrigés

CHAPITRE 9

La couleur

CHAPITRE 10

Les étapes finales